Ciencias Sociales, Geografía e Historia

1º ESO

1-1

Luis Tornamira,
Flora Ayuso,
José A. Hernández
y Marina Requero

Las actividades de este libro deben ser realizadas por el alumno en un cuaderno. En ningún caso deben realizarse en el mismo libro.

akal

¿CÓMO ES ESTE LIBRO?

Para comenzar tu andadura en este nuevo ciclo, te presentamos este libro estructurado en tres volúmenes, uno dedicado a las unidades de Geografía con un **Anexo cartográfico** que contiene mapas y gráficos de todos los continentes, y otro a las de Historia.

Por último, tu manual se complementa con un tercer volumen dedicado a la Geografía e Historia de tu **Comunidad Autónoma.**

¿Cómo se estructura cada unidad?

1. Presentación

Título de la unidad

Cita relevante para el tema de la unidad a modo de introducción

Preguntas introductorias para comprobar tus conocimientos previos

En las unidades de Historia, se incluye una **cronología** con imágenes que recoge los periodos y acontecimientos más importantes que se van a estudiar en la unidad

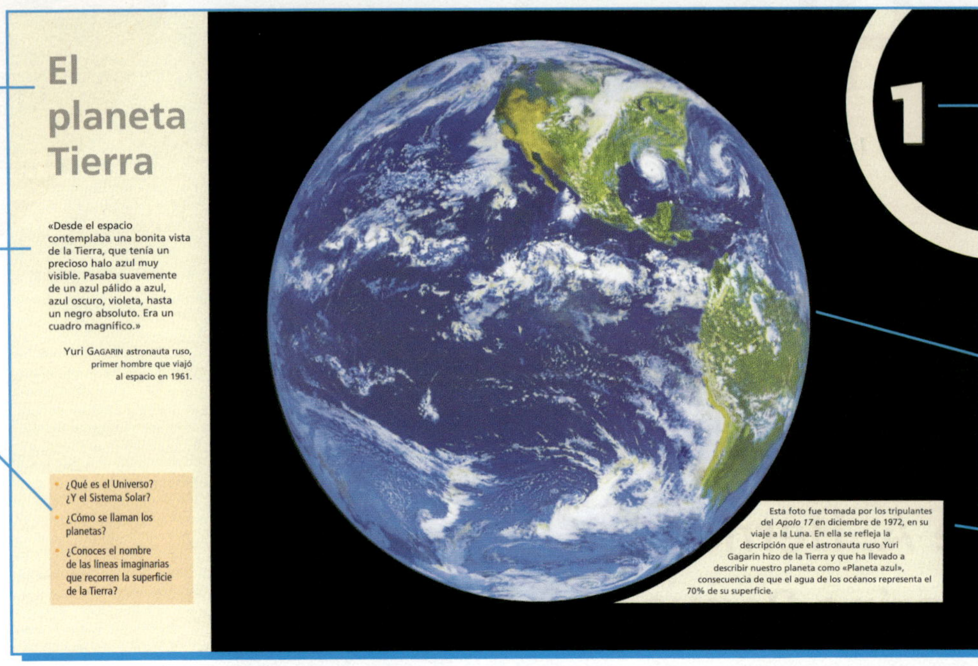

Número de la unidad

Fotografía de presentación del tema de la unidad

Pie de foto explicativo

2. Interior de la unidad

Cada unidad se estructura en una **doble página** que contiene un apartado principal y otros subapartados

Conceptos principales de la doble página. En el texto los encontrarás marcados con un asterisco

Definiciones destacadas para que estudiar sea más sencillo

Imágenes representativas que ilustran el texto

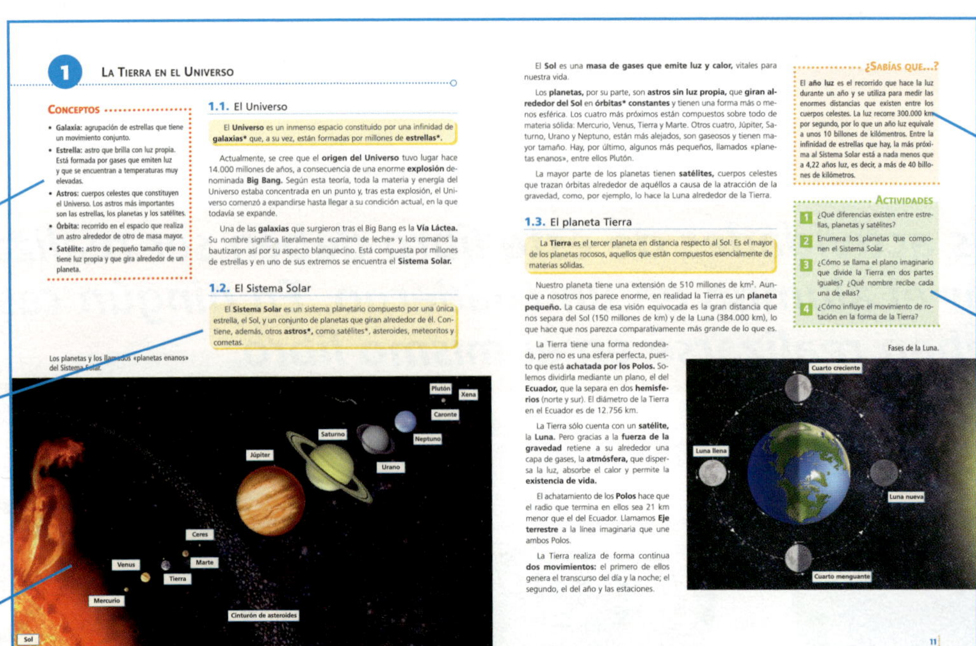

¿Sabías que...? con textos y curiosidades que amplían la información y conectan el contenido de la unidad con la actualidad

Actividades para facilitar tu comprensión sobre lo que has estudiado

3. Apéndice

Imágenes representativas que te ayudan a entender mejor el texto

Actividades que te ayudarán a comprender mejor lo que has leído al tiempo que proponen la realización de trabajos y debates atractivos conectando el tema con el mundo que te rodea

Texto principal a modo de artículo que te abrirá las puertas de un tema interesante de la unidad para que amplíes tus conocimientos

4. Practica competencias

Actividades agrupadas por competencias básicas para que puedas practicar todas tus habilidades y conocimientos

Páginas web para ampliar información en la red sobre distintos temas de la unidad

¿Cómo se complementa este libro? La nueva web www.akaleducacion.com

Bienvenido a la nueva página web de *Akal Educación:*

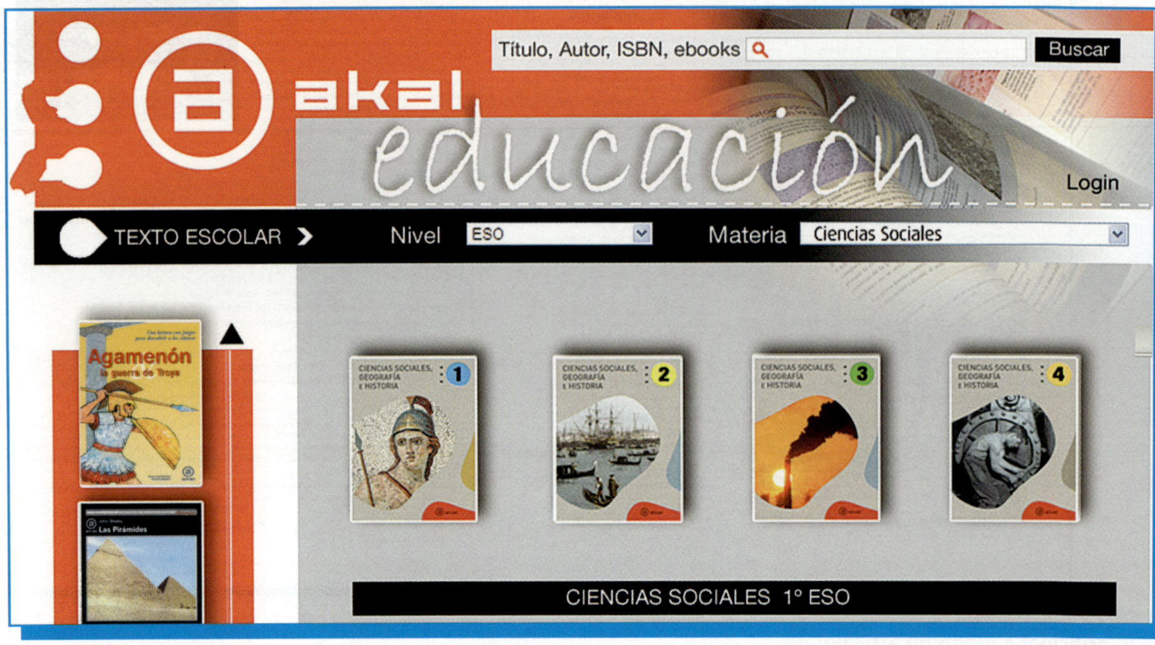

Selecciona el nivel de tu curso «1.º ESO» y la materia «Geografía e Historia» y entra en el «Aula digital» de nuestra web. Tu profesor te habrá enviado una invitación previa para que crees tu perfil incluyendo tu foto y tu propia contraseña.

Una vez dentro, *¡descubre una nueva forma fácil y divertida de trabajar en casa!*

Encontrarás un gran número de actividades interactivas muy interesantes y entretenidas que te ayudarán a estudiar los contenidos de clase. Además, con ellas podrás evaluar tus propios conocimientos antes del examen.

¡Seguro que nunca antes habías experimentado una manera tan divertida de hacer los deberes!

Ciencias Sociales, Geografía e Historia

Tema 1: El planeta Tierra | Ejercicios autocorregibles — < Anterior | Siguiente >

3 / 8

Ejercicio

3. ¿Cuáles de estos términos geográficos sirven como referencia para medidas cartográficas?

- ✔ Meridiano de Greenwich
- Huso horario
- ✔ Ecuador
- ✘ Trópico de Cancer
- Oeste

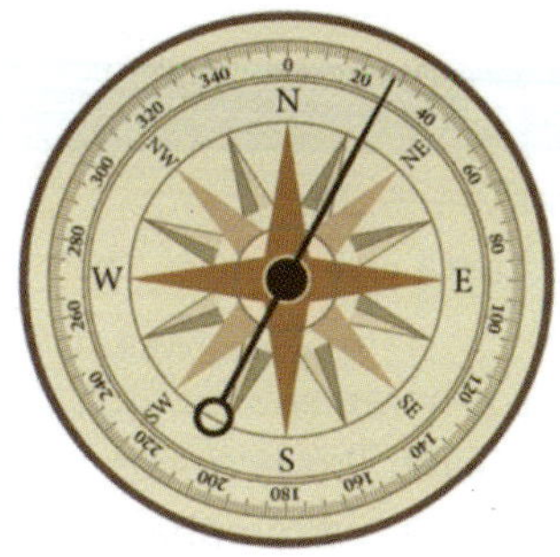

Corregir — Quedan 2 intentos

Tema 1: El planeta Tierra | Ejercicios autocorregibles — < Anterior | Siguiente >

4 / 8

Ejercicio

4. Arrastra para ordenar los siguientes elementos en orden descendiente según pertenencia.:

1. Satélites ✘
2. Sistema Solar
3. Universo
4. Galaxias
5. Vía Láctea
6. Planetas

Corregir — Quedan 2 intentos

Ciencias Sociales, Geografía e Historia

Tema 1: El planeta Tierra | Ejercicios autocorregibles — < Anterior | Siguiente >

5 / 8

Ejercicio

5. Relaciona los siguientes elementos:

Proyecciones	Dibujos sencillos
Mapas Topográficos	Con mucho detalle
Mapa histórico	Redes de transportes
Croquis	Mapa temático
Mapa de transportes	Planas
Mapas físicos	Representan accidentes naturales del relieve

Corregir — Quedan 1 intentos

ÍNDICE

VOLUMEN 1

VOLUMEN 2

VOLUMEN 3

El planeta Tierra

«Desde el espacio contemplaba una bonita vista de la Tierra, que tenía un precioso halo azul muy visible. Pasaba suavemente de un azul pálido a azul, azul oscuro, violeta, hasta un negro absoluto. Era un cuadro magnífico.»

Yuri GAGARIN astronauta ruso,
primer hombre que viajó
al espacio en 1961.

- ¿Qué es el Universo? ¿Y el Sistema Solar?
- ¿Cómo se llaman los planetas?
- ¿Conoces el nombre de las líneas imaginarias que recorren la superficie de la Tierra?

1

Esta foto fue tomada por los tripulantes del *Apolo 17* en diciembre de 1972, en su viaje a la Luna. En ella se refleja la descripción que el astronauta ruso Yuri Gagarin hizo de la Tierra y que ha llevado a describir nuestro planeta como «Planeta azul», consecuencia de que el agua de los océanos representa el 70% de su superficie.

1 La Tierra en el Universo

Conceptos

- **Galaxia:** agrupación de estrellas que tiene un movimiento conjunto.
- **Estrella:** astro que brilla con luz propia. Está formada por gases que emiten luz y que se encuentran a temperaturas muy elevadas.
- **Astros:** cuerpos celestes que constituyen el Universo. Los astros más importantes son las estrellas, los planetas y los satélites.
- **Órbita:** recorrido en el espacio que realiza un astro alrededor de otro de masa mayor.
- **Satélite:** astro de pequeño tamaño que no tiene luz propia y que gira alrededor de un planeta.

1.1. El Universo

El **Universo** es un inmenso espacio constituido por una infinidad de **galaxias*** que, a su vez, están formadas por millones de **estrellas*.**

Actualmente, se cree que el **origen del Universo** tuvo lugar hace 14.000 millones de años, a consecuencia de una enorme **explosión** denominada **Big Bang.** Según esta teoría, toda la materia y energía del Universo estaba concentrada en un punto y, tras esta explosión, el Universo comenzó a expandirse hasta llegar a su condición actual, en la que todavía se expande.

Una de las **galaxias** que surgieron tras el Big Bang es la **Vía Láctea.** Su nombre significa literalmente «camino de leche» y los romanos la bautizaron así por su aspecto blanquecino. Está compuesta por millones de estrellas y en uno de sus extremos se encuentra el **Sistema Solar.**

1.2. El Sistema Solar

El **Sistema Solar** es un sistema planetario compuesto por una única estrella, el Sol, y un conjunto de planetas que giran alrededor de él. Contiene, además, otros **astros*,** como satélites*, asteroides, meteoritos y cometas.

Los planetas y los llamados «planetas enanos» del Sistema Solar.

El **Sol** es una **masa de gases que emite luz y calor,** vitales para nuestra vida.

Los **planetas,** por su parte, son **astros sin luz propia,** que **giran alrededor del Sol** en **órbitas* constantes** y tienen una forma más o menos esférica. Los cuatro más próximos están compuestos sobre todo de materia sólida: Mercurio, Venus, Tierra y Marte. Otros cuatro, Júpiter, Saturno, Urano y Neptuno, están más alejados, son gaseosos y tienen mayor tamaño. Hay, por último, algunos más pequeños, llamados «planetas enanos», entre ellos Plutón.

La mayor parte de los planetas tienen **satélites,** cuerpos celestes que trazan órbitas alrededor de aquéllos a causa de la atracción de la gravedad, como, por ejemplo, lo hace la Luna alrededor de la Tierra.

1.3. El planeta Tierra

La **Tierra** es el tercer planeta en distancia respecto al Sol. Es el mayor de los planetas rocosos, aquellos que están compuestos esencialmente de materias sólidas.

Nuestro planeta tiene una extensión de 510 millones de km^2. Aunque a nosotros nos parece enorme, en realidad la Tierra es un **planeta pequeño.** La causa de esa visión equivocada es la gran distancia que nos separa del Sol (150 millones de km) y de la Luna (384.000 km), lo que hace que nos parezca comparativamente más grande de lo que es.

La Tierra tiene una forma redondeada, pero no es una esfera perfecta, puesto que está **achatada por los Polos.** Solemos dividirla mediante un plano, el del **Ecuador,** que la separa en dos **hemisferios** (norte y sur). El diámetro de la Tierra en el Ecuador es de 12.756 km.

La Tierra sólo cuenta con un **satélite,** la **Luna.** Pero gracias a la **fuerza de la gravedad** retiene a su alrededor una capa de gases, la **atmósfera,** que dispersa la luz, absorbe el calor y permite la **existencia de vida.**

El achatamiento de los **Polos** hace que el radio que termina en ellos sea 21 km menor que el del Ecuador. Llamamos **Eje terrestre** a la línea imaginaria que une ambos Polos.

La Tierra realiza de forma continua **dos movimientos:** el primero de ellos genera el transcurso del día y la noche; el segundo, el del año y las estaciones.

¿SABÍAS QUE...?

El **año luz** es el recorrido que hace la luz durante un año y se utiliza para medir las enormes distancias que existen entre los cuerpos celestes. La luz recorre 300.000 km por segundo, por lo que un año luz equivale a unos 10 billones de kilómetros. Entre la infinidad de estrellas que hay, la más próxima al Sistema Solar está a nada menos que a 4,22 años luz, es decir, a más de 40 billones de kilómetros.

ACTIVIDADES

1. ¿Qué diferencias existen entre estrellas, planetas y satélites?
2. Enumera los planetas que componen el Sistema Solar.
3. ¿Cómo se llama el plano imaginario que divide la Tierra en dos partes iguales? ¿Qué nombre recibe cada una de ellas?
4. ¿Cómo influye el movimiento de rotación en la forma de la Tierra?

Fases de la Luna.

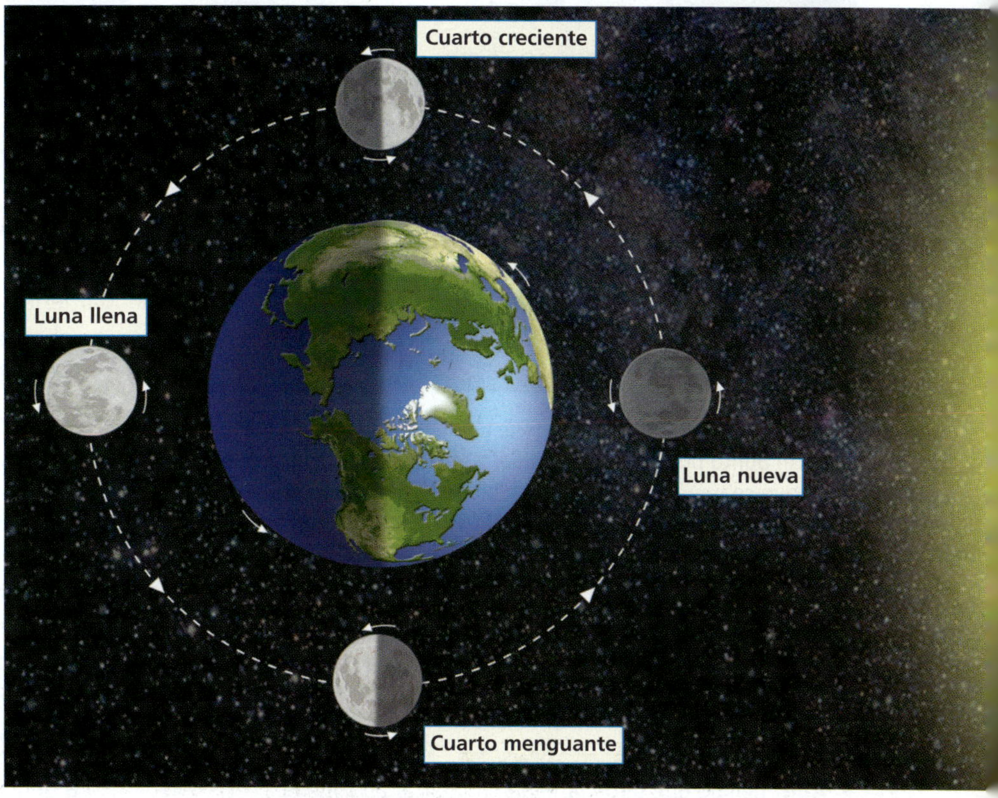

2 Los movimientos de la Tierra y sus consecuencias

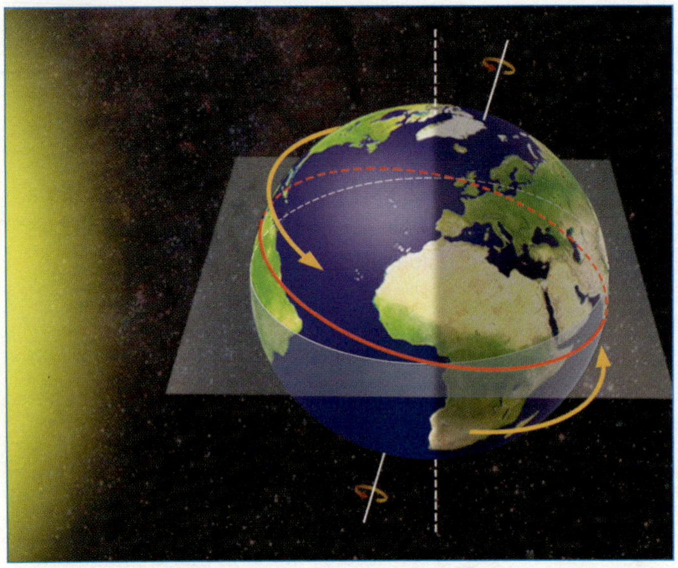

Rotación de la Tierra sobre su Eje, con la inclinación de éste respecto a la órbita en torno al Sol.

El Sol nos permite orientarnos. Si extendemos el brazo derecho hacia el punto por el que sale el Sol y el izquierdo hacia el punto en el que se pone, tendremos de frente el Norte y a la espalda, el Sur.

2.1. Movimiento de rotación

El **movimiento de rotación** es el que experimenta la Tierra al girar sobre su propio Eje. Dura 24 horas y produce la alternancia entre **noche** y **día*.** Esto se debe a que durante la rotación sólo está expuesta a la luz solar una parte del planeta, que va cambiando a medida que se produce el giro.

La alternancia entre el día y la noche es esencial para la vida en el planeta. Durante el día, el planeta recibe la luz solar y acumula calor. La noche, por su parte, permite enfriar la temperatura y regular el calor del planeta.

La rotación de la Tierra se produce en sentido contrario a las manillas del reloj, es decir, de Oeste a Este. Sin embargo, como es la Tierra la que gira y no el Sol, a nosotros nos parece que el Sol sale siempre por el Este (Levante) y se pone por el Oeste (Poniente).

Este fenómeno nos permite la **orientación:** si extendemos los brazos hacia los puntos de salida y puesta del Sol, podremos situar con cierta precisión el Norte y el Sur.

También podemos orientarnos de noche gracias a las estrellas. En **nuestro hemisferio,** la **Estrella Polar** señala siempre el **Norte,** mientras que en el **hemisferio sur,** la **Cruz del Sur** indica dicho punto cardinal*.

2.2. Movimiento de traslación

El **movimiento de traslación** es el que se produce alrededor del Sol. Dura 365 días y seis horas aproximadamente, es decir, la duración del **año*.** Para compensar el sobrante de horas, cada cuatro años se introduce un **año bisiesto,** que cuenta con 366 días, al añadirse a febrero un día más.

El movimiento de traslación también es la causa de las **estaciones.** A lo largo de la órbita terrestre, el eje de la Tierra permanece inclinado respecto al plano perpendicular al Sol. Eso hace que en cada momento la irradiación solar sea más intensa en un hemisferio que en el otro. Durante el verano, aumenta la exposición al Sol y la duración del día, mientras que el invierno es la etapa en que la radiación es menos intensa y la duración del día más corta.

La secuencia de las estaciones es siempre igual y da lugar a cuatro momentos en el año que coinciden con los cambios de estación:

Conceptos

- **Día:** tiempo que tarda la Tierra en dar una vuelta completa sobre sí misma.
- **Año:** tiempo que tarda la Tierra en realizar una vuelta completa alrededor del Sol.

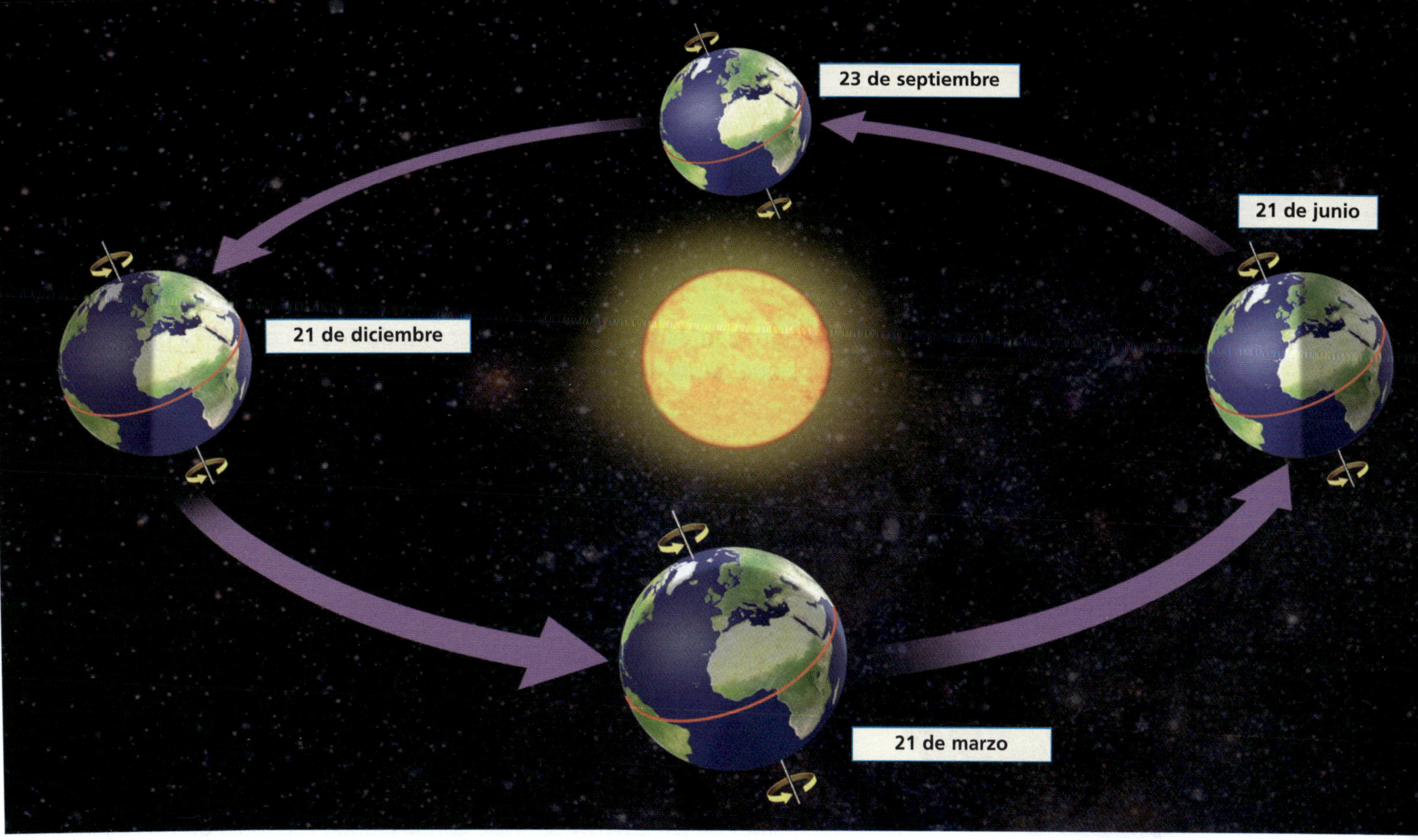

Movimiento de traslación y ciclo de las estaciones.

- Los **solsticios*** son los días en que la **diferencia entre día y noche** es **mayor.**
  - En el hemisferio norte, el solsticio de verano tiene lugar el 21 de junio (el día más largo) y el solsticio de invierno ocurre el 21 de diciembre (el día más corto).
  - En el hemisferio sur, sucede lo contrario. El solsticio de invierno tiene lugar el 21 de junio (el día más corto) y el solsticio de verano se produce el 21 de diciembre (el día más largo).
- Los **equinoccios*** son los dos momentos del año en que **día y noche** tienen la **misma duración en ambos hemisferios.** Coinciden con el 21 de marzo y el 23 de septiembre, días en que pasamos de las estaciones extremas (invierno y verano) a las intermedias (primavera y otoño).

Actividades

5 ¿Cómo se llama el giro que realiza la Tierra sobre sí misma?

6 Observa el dibujo de rotación de la Tierra. ¿Qué dirección sigue la Tierra en ese movimiento? ¿Y el Sol?

7 Al cabo de 4.320 minutos, ¿cuántas rotaciones habrá realizado la Tierra?

8 En verano, la distancia de la Tierra al Sol es mayor que en otoño y sin embargo las temperaturas son más altas. ¿Por qué?

9 ¿Qué es un año?

10 Averigua cuándo se produjo el último año bisiesto, di cuándo será el próximo y qué cambio se producirá en el calendario.

11 Consulta en un atlas y completa en tu cuaderno la estación del año que corresponda:

a) El día 21 de junio comienza en Buenos Aires ______.
b) El día 21 de marzo comienza en París ______.
c) El día 21 de diciembre termina en Madrid ______.
d) El día 23 de septiembre comienza en Sydney ______.

Conceptos

- **Solsticios:** días del año en los que los rayos del Sol caen perpendiculares sobre los trópicos. Dan inicio al verano y al invierno.
- **Equinoccios:** días del año en los que los rayos del Sol caen perpendiculares sobre el Ecuador. Dan inicio al otoño y a la primavera.
- **Puntos cardinales:** puntos del horizonte de un lugar que vienen definidos por la salida y puesta del Sol (Este y Oeste) y por la dirección de los Polos (Norte y Sur).

3 LA LOCALIZACIÓN Y LOS HUSOS HORARIOS

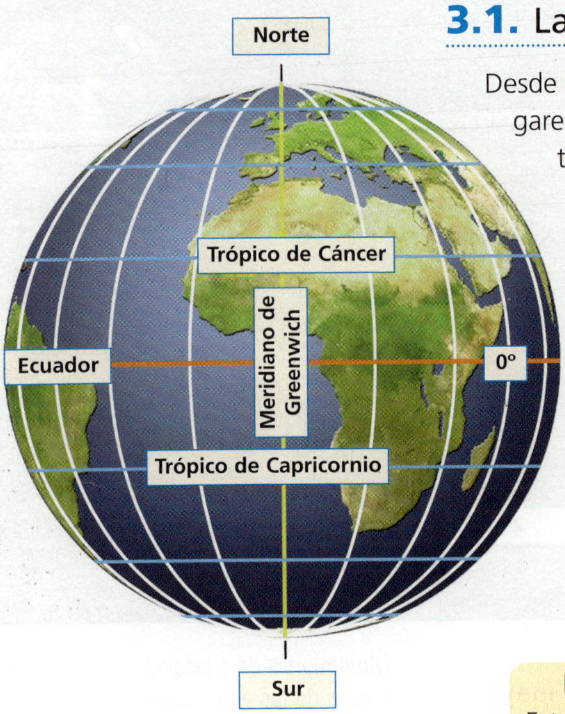

La red de paralelos y de meridianos permite la localización de un punto sobre la Tierra mediante una cuadrícula de coordenadas.

3.1. La localización

Desde la Antigüedad, el ser humano ha necesitado situar con cierta precisión los lugares a los que debía desplazarse. Al principio se hicieron simples croquis para situar objetos y accidentes geográficos. Pronto surgió la idea de una cuadrícula para ubicarlos con mayor precisión, y de ahí se pasó a las **coordenadas geográficas,** líneas imaginarias que sirven para situar un punto sobre la superficie terrestre.

3.2. Meridianos y paralelos

Los **meridianos** son semicircunferencias imaginarias que recorren la superficie de la Tierra de Norte a Sur pasando por los Polos.

Los meridianos son infinitos y todos tienen la misma extensión. Como meridiano de referencia se utiliza el que pasa por el observatorio inglés de **Greenwich,** llamado **meridiano 0,** a partir del cual se sitúan los demás. El meridiano de Greenwich coincide con la ciudad española de Castellón.

Los **paralelos** son círculos imaginarios que recorren la superficie terrestre de Este a Oeste.

Son líneas paralelas entre sí y tienen diferente extensión, disminuyendo conforme nos acercamos a los Polos. El paralelo más largo es el **Ecuador.**

Además del Ecuador, existen otros paralelos de referencia importantes. Los **Trópicos de Cáncer** (norte) y **Capricornio** (sur) están situados a 23° 27′ del Ecuador y separan la zona de climas cálidos de la de climas templados. Los **Círculos Polares Ártico** (norte) y **Antártico** (sur), por su parte, se encuentran a 66° 33′ y separan las zonas de climas fríos y de climas templados.

3.3. Longitud y latitud

Llamamos **longitud** a la distancia que separa un punto de la Tierra respecto del meridiano de Greenwich.

Dicha distancia se mide en dirección este u oeste, a partir del meridiano que pasa por el punto de la Tierra que queremos situar y hacia el meridiano 0.

Llamamos **latitud** a la distancia que separa cualquier punto de la Tierra respecto del Ecuador.

Dicha distancia se mide en dirección norte o sur, a partir del paralelo en que está el punto que queremos situar y hacia el Ecuador.

Como la superficie de la Tierra es curva, la longitud y la latitud no se calculan con medidas lineales –como los kilómetros–, sino que se miden en grados (°) y se dividen en minutos (′) y segundos (″). Así, podemos situar un lugar diciendo que está a 25° de longitud oeste y a 32° de latitud sur. Eso significa que lo estamos situando a esa distancia al oeste del meridiano de Greenwich y al sur del Ecuador.

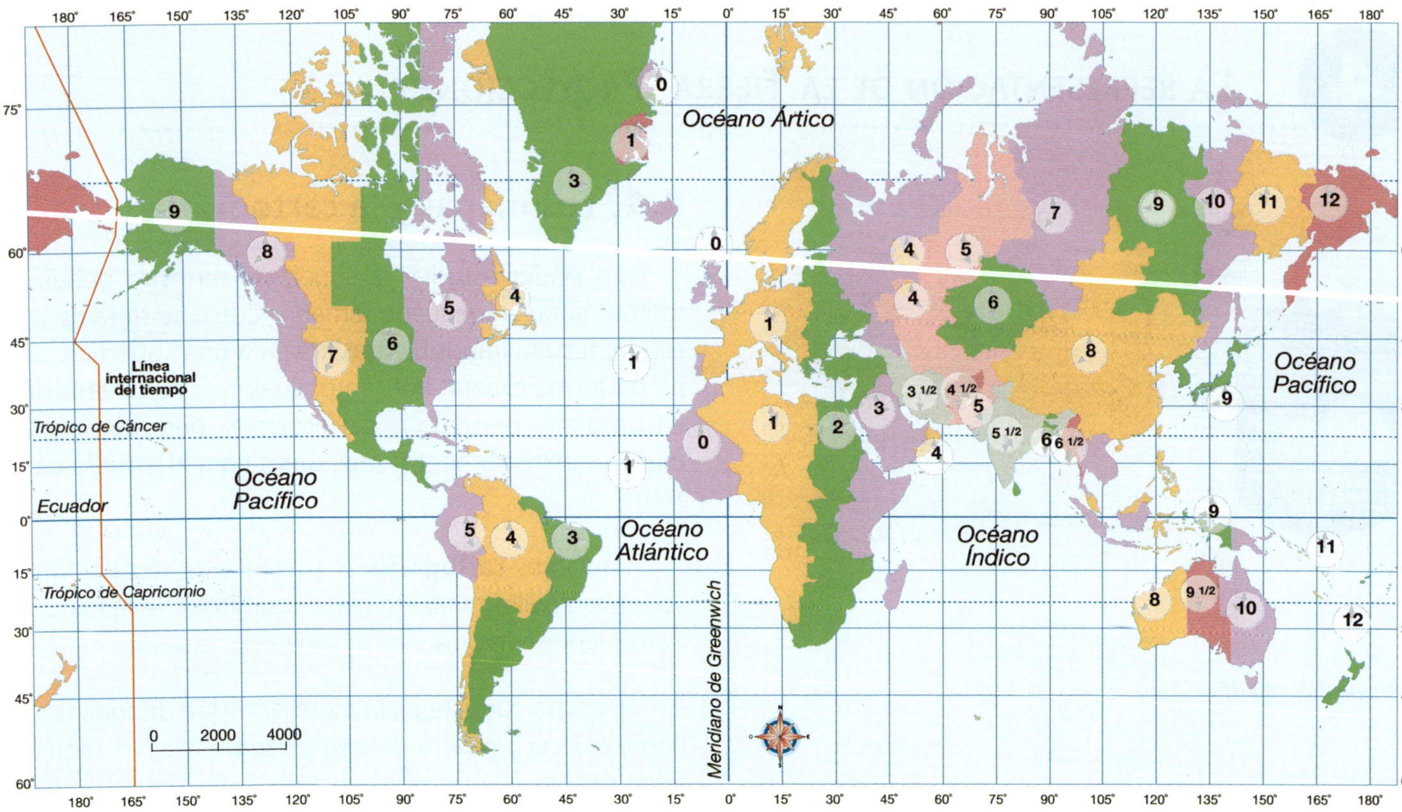

Los husos horarios. Además de la desviación que existe en el norte del Pacífico, la mayoría de los países introducen correcciones para adaptar los husos a sus fronteras.

3.4. Los husos horarios

Como ya sabemos, según viajamos en sentido este-oeste, la rotación hace que a lo largo del día la hora sea distinta en cada punto de la Tierra. Si dividimos los 360° de la circunferencia terrestre en las 24 horas que tarda en girar sobre sí misma, encontramos que cada 15° en sentido este-oeste (es decir, 15° de longitud) habrá una hora solar de diferencia.

Cada uno de esos espacios de 15° con una hora de diferencia se denomina **huso horario.** En 1884 se estableció el meridiano de Greenwich como referencia y los 24 husos horarios, de forma que todos los puntos situados dentro de cada huso tienen la misma hora. Sin embargo, los países suelen establecer la misma hora en todo su territorio (hora oficial), aunque parte de él rebase el límite de un huso horario.

Actividades

12 Busca en un mapa de España y señala por qué ciudades españolas atraviesan el meridiano 0 y el paralelo 40.

13 Acabas de llegar a una ciudad y compruebas que mientras en tu reloj son las 15 horas, el reloj del aeropuerto marca las 17 horas. ¿Cuántos husos horarios has atravesado? ¿En qué dirección?

14 Vas a realizar un viaje de Madrid a Nueva York. Tu avión sale a las 12 horas. Si el vuelo dura 5 horas, ¿a qué hora llegarás a Nueva York?

15 Lee la viñeta de *Mafalda* y explica:

- ¿Por qué dice que en Europa es media tarde y en Asia media noche, cuando en el lugar donde ella vive es mediodía?
- ¿En qué continente está el país en el que vive Mafalda?

© Joaquín Lavado (Quino).

4 La representación de la Tierra. Proyecciones

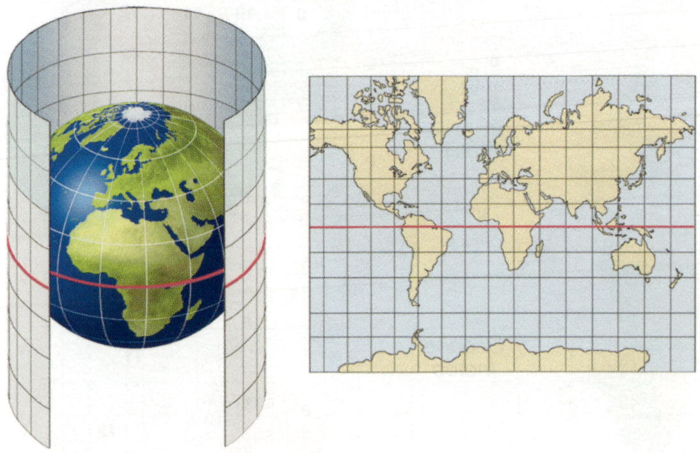

• Proyección cilíndrica

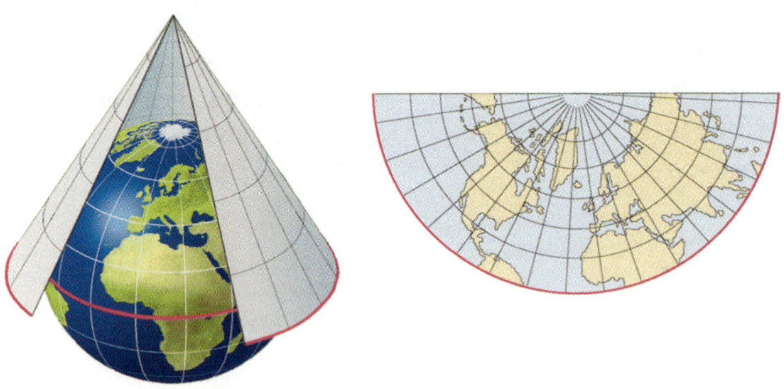

• Proyección cónica

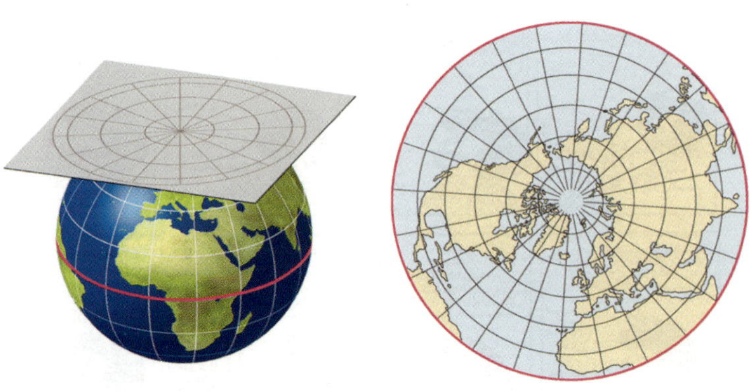

• Proyección plana

Diferentes tipos de proyecciones y mapas resultantes.

4.1. Los mapas y la cartografía

Para poder estudiar la superficie terrestre debemos representarla en pequeño tamaño. Como se trata de una esfera, resulta imposible trasladarla a una superficie plana de forma exacta. Por tanto, cualquier representación en un plano presenta imperfecciones, pero aun así los mapas son instrumentos muy útiles para el estudio de la Tierra.

Llamamos **cartografía** al conjunto de técnicas que permiten realizar mapas, maquetas, globos terráqueos y otras representaciones de la superficie terrestre.

Un **mapa** consiste en la representación de toda la superficie de la Tierra, o de una parte de ella, en tamaño menor sobre una superficie plana.

4.2. Las proyecciones cartográficas

Para realizar un mapa necesitamos un sistema de proyección. Las **proyecciones** son los procedimientos que utilizamos para trasladar la superficie esférica de la Tierra a un plano. Existen numerosas variedades de proyecciones, pero todas ellas se pueden clasificar en tres tipos:

- **Proyecciones cilíndricas:** consisten en proyectar los puntos de la Tierra sobre la superficie de un cilindro imaginario que envuelve la Tierra y que es tangente a la misma.
- **Proyecciones cónicas:** trasladan las coordenadas a un cono tangente a uno de los paralelos. Al desarrollar el cono se obtiene un mapa en el que los meridianos son líneas que se unen en un polo y los paralelos tienen forma curva y concéntrica. Tienen el inconveniente de que sólo pueden representar uno de los hemisferios.
- **Proyecciones planas:** los paralelos y meridianos se proyectan sobre un plano imaginario tangente a un punto del globo.

Como ya hemos dicho, todas ellas presentan imperfecciones, bien porque alteran los ángulos rectos entre meridianos y paralelos, bien porque modifican las distancias y las superficies. Por eso, hay que escoger cuidadosamente el tipo de proyección, según el fin al que se destine el mapa.

Una de las proyecciones más populares es la **Mercator.** Esta proyección fue creada en el siglo XVI por el cartógrafo belga Gerardus Mercator. Es una proyección cilíndrica que se aproxima bastante a la realidad en la zona central, pero a medida que se acerca a los Polos Norte y Sur presenta deformaciones porque los paralelos son cada vez más cortos. Un ejemplo de estas distorsiones es que esta proyección suele representar a Groenlandia a un tamaño mucho mayor que el real, cuando es catorce veces más pequeña que África.

Una proyección reciente es la de **Peters,** un mapa mundial obtenido con una proyección muy compleja, que tiene la virtud de representar de forma precisa las superficies de los continentes, aunque con los contornos muy deformados. Fue creada en 1973 por Arno Peters, un historiador alemán que argumentaba que la proyección Mercator exageraba el tamaño de los territorios situados al norte del Ecuador. Por tanto, en esta proyección, al contrario de lo que sucede en la Mercator, los paralelos están más separados entre sí cuanto más se acercan al Ecuador.

Hoy día, la proyección conocida que menos distorsión provoca es la de **Winkel-Tripel.** Fue creada por Oswald Winkel en 1921 y adoptada por la National Geographic desde 1998 para la publicación de sus mapas. Por esta razón, la utilizaremos de ahora en adelante en todas las representaciones de mapas mundiales que aparezcan en el libro.

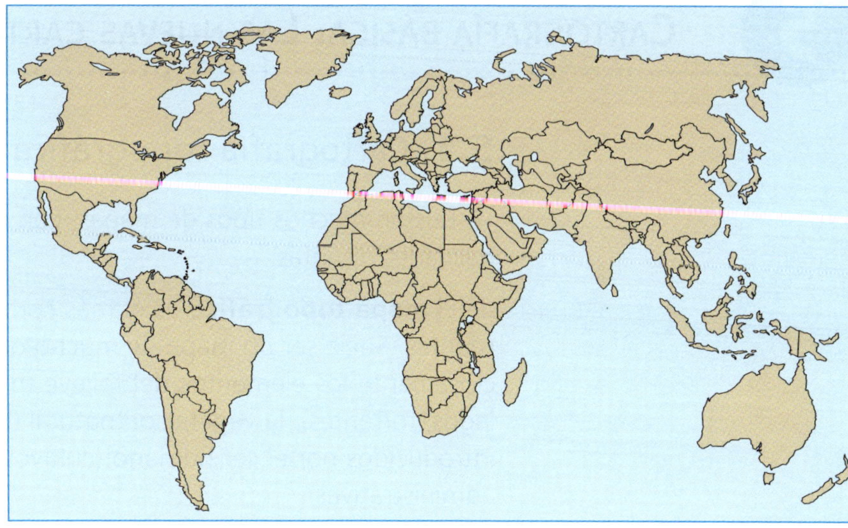

• Mercator.

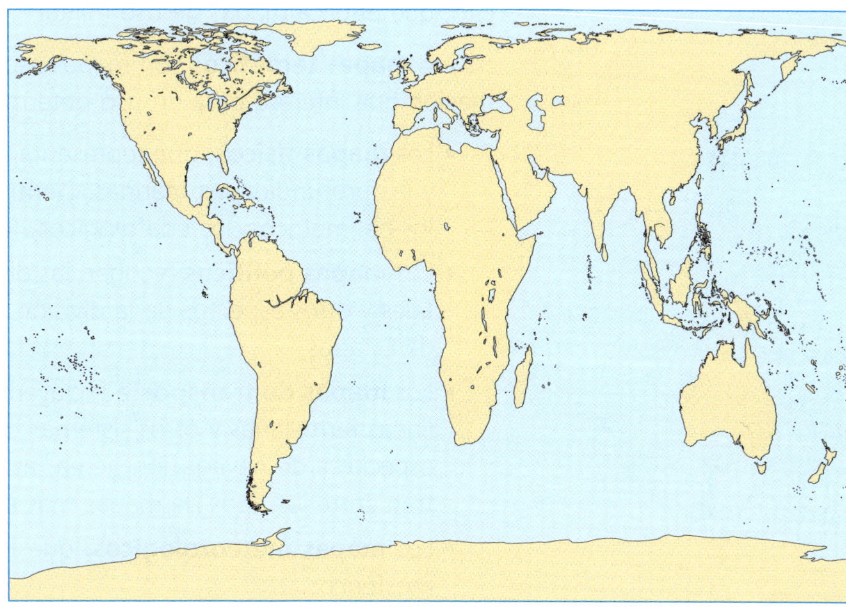

• Peters.

• Winkel-Tripel.

ACTIVIDADES

16 Explica qué es un mapa.

17 Compara la proyección de Mercator y la de Peters. ¿Qué continentes tienen más importancia en cada una de ellas?

18 Si quieres representar en un mapa sólo el hemisferio norte, ¿qué tipo de proyección utilizarías? Explica por qué.

5 Cartografía básica. Las nuevas cartografías

5.1. Cartografía topográfica y temática

Existen muchos tipos de mapas, con características diferentes, que se adaptan a finalidades distintas.

El **mapa topográfico** es el más completo y preciso entre las cartografías más corrientes. Suele ser un mapa de mucho detalle, a gran escala, y en él se recogen minuciosamente los elementos del relieve (montañas, valles), la hidrografía (ríos, arroyos, lagos, torrentes), la vegetación natural (bosques, prados, monte bajo) y los elementos introducidos por el ser humano (cultivos, ciudades, redes de comunicación, fronteras administrativas).

En España, los mapas topográficos los realizan dos instituciones oficiales: el Instituto Geográfico Nacional, que edita mapas de uso civil, y el Centro Geográfico del Ejército, que publica mapas de uso militar.

Los **mapas temáticos** son mapas especializados, en los que sólo se recoge la información que interesa para un uso determinado. Entre ellos encontramos:

- Los **mapas físicos,** que representan los accidentes naturales del relieve, las costas y las profundidades marinas. Dentro de ellos encontramos los mapas de relieve, los batimétricos, los edafológicos, forestales, etcétera.
- Los **mapas políticos** recogen las divisiones administrativas, las fronteras, las capitales y otros aspectos de la división política del mundo, como las confederaciones de Estados.
- Los **mapas de transporte** incluyen las redes de transporte urbano, por carretera, líneas ferroviarias y otros sistemas de transporte terrestre. También existen mapas especiales de navegación aérea, así como cartas de navegación, que se encuentran entre los tipos de mapas más antiguos realizados por el ser humano.
- Los **mapas meteorológicos,** que recogen información sobre los fenómenos atmosféricos.

Por último, se han de destacar otros muchos tipos de mapas temáticos, como los mapas históricos, los de recursos económicos, los demográficos, etcétera.

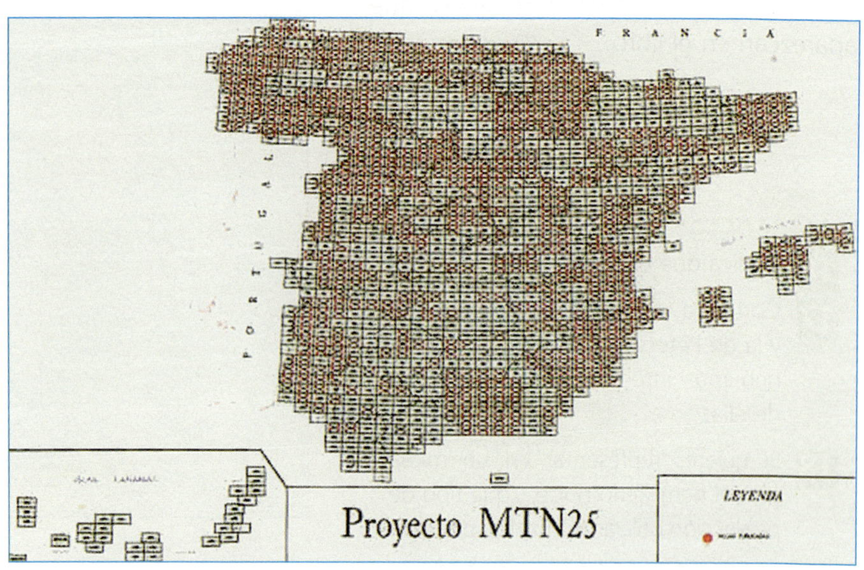

Mapa topográfico de España. Instituto Geográfico Nacional.

5.2. Croquis y cortes topográficos

La representación del espacio puede realizarse también mediante instrumentos más simples que los mapas. Entre otros, destacamos:

- Los **croquis:** son dibujos muy sencillos, en los que se representan unos pocos accidentes del terreno, que sirven de referencia para situar un determinado lugar. No tienen por qué tener una gran precisión en la medida. Un ejemplo de croquis puede ser el que dibujan los detectives acerca del lugar en el que se ha cometido un delito, para situar las huellas y los objetos que dan pistas sobre el crimen.
- El **corte topográfico:** consiste en representar el perfil de una línea de terreno, dibujando a escala la elevación y el descenso del suelo, lo que permite calcular distancias y pendientes. Es el tipo de dibujo que aparece en los periódicos para representar la pendiente de un puerto de montaña en una prueba ciclista.

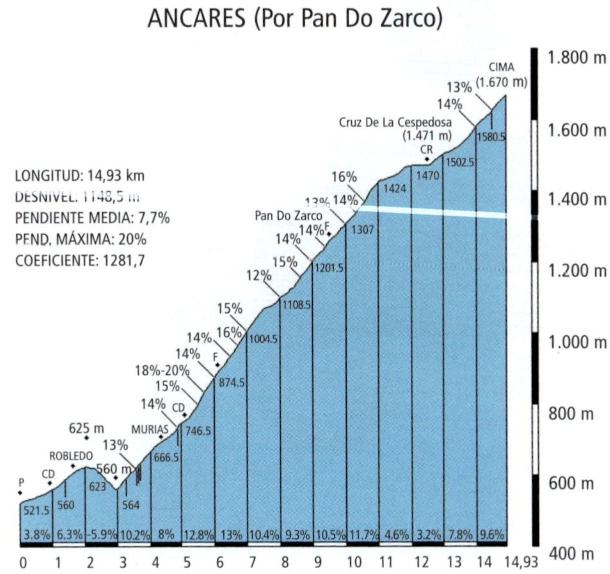

Corte topográfico típico de un puerto de montaña de una vuelta ciclista.

5.3. Las nuevas cartografías

Hasta hace poco tiempo, los datos con los que se elaboraban los mapas había que obtenerlos sobre el terreno, con la ayuda de instrumentos manuales y mediante cálculos geométricos.

En las últimas décadas, los métodos utilizados para elaborar los mapas han cambiado mucho. La **fotografía aérea** y las **imágenes captadas a través de los satélites** han permitido perfeccionar la toma de datos. El **tratamiento informatizado,** además, facilita no sólo la corrección de los mapas, sino también su constante actualización.

Los métodos de diseño también se han beneficiado de las nuevas tecnologías. Actualmente, los mapas se elaboran mediante complejos programas, que permiten diseños precisos y visualmente mucho más realistas. Además, es posible superponer diferentes tipos de mapas, lo que hace posible editar cartografías mucho más completas.

Por otra parte, se ha generalizado la **teledetección,** que permite tomar datos y corregirlos mediante dispositivos situados a distancia. Entre otros métodos, se usan el sónar, las ondas electromagnéticas y las señales enviadas por satélite. Hoy es posible, por ejemplo, calcular con mucha precisión la altura de las montañas, pero también la composición del suelo a muchos metros bajo tierra. También podemos conocer con bastante exactitud la profundidad de las fosas marinas.

Actividades

19 Explica cuáles son los nuevos sistemas que se utilizan para la elaboración de mapas.

20 ¿Qué es el GPS y para qué se utiliza?

Los satélites permiten en la actualidad obtener fotografías del planeta de una gran precisión.

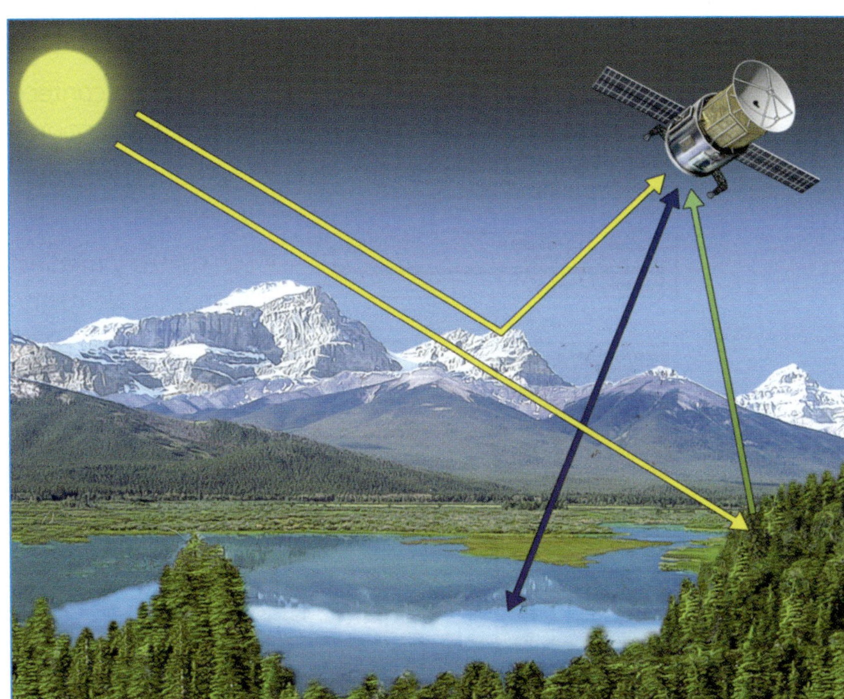

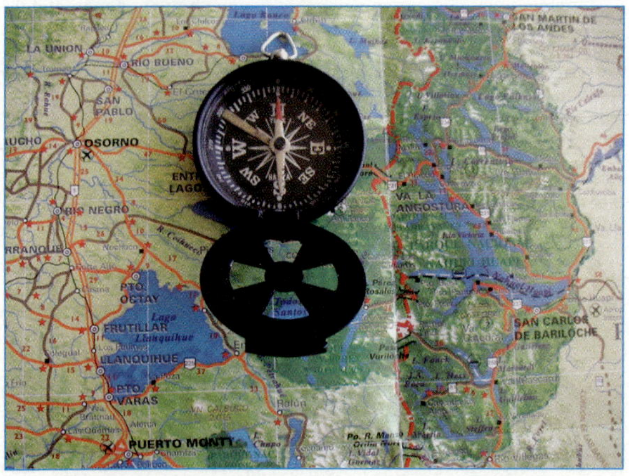

La brújula permite un mejor manejo de los mapas, al indicarnos el norte geográfico.

6.1. Orientación y escalas

Lo primero que hay que hacer para leer un mapa es **orientarlo.** Se trata de hacer coincidir los puntos cardinales recogidos en él con su dirección real en el espacio, generalmente buscando la indicación del Norte. En segundo lugar, es necesario interpretarlo con respecto a la realidad.

La **escala** es la relación que existe entre la distancia real entre dos puntos y la que aparece en el mapa.

La escala puede ser mayor, cuando queremos un mapa con mucha información de detalle, o menor, si preferimos un mapa más general y que comprenda un espacio real mayor.

Existen dos formas de expresar la escala:

- **Escala numérica:** consiste en una fracción que indica la relación entre la distancia en el mapa y su equivalente real. Por ejemplo, 1:50.000 significa que por cada centímetro del mapa hay 50.000 cm, o sea 500 m, en el espacio real.
- **Escala gráfica:** consiste en una línea dividida en segmentos iguales, generalmente de 1 cm. Las cifras indican el tamaño real a que corresponde cada segmento.

6.2. La leyenda

Las características de la información que se incluye en un mapa vienen recogidas normalmente en un cuadro llamado **leyenda.** En ella aparecen diferentes datos:

- La fecha de confección del mapa, la procedencia de los datos y el tipo de proyección que se ha utilizado.
- Los signos y medios que se utilizan para reflejar la altura y la profundidad.
- Los signos y medios usados para representar vegetación, cultivos y elementos de geografía humana.

Leyenda del mapa de la página siguiente, con los símbolos utilizados.

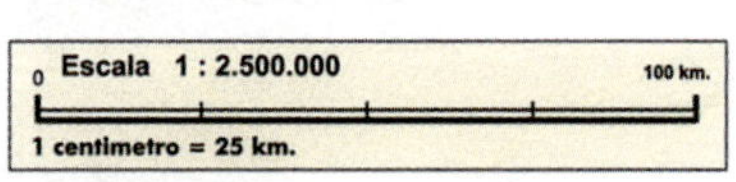

6.3. Altimetría y planimetría

La **altimetría** es la **medida de la altura,** tanto del relieve terrestre como de las profundidades marinas. Para representar la altura existen diferentes métodos. El más preciso es el de las **curvas de nivel.** Se trata de líneas que unen puntos de la misma altura y que tienen forma concéntrica cuando se trata de montañas. Cuanto más próximas estén las curvas en el mapa, mayor es la pendiente que reflejan.

Además de las curvas de nivel, los mapas suelen utilizar diferentes **colores** para representar las alturas, generalmente desde el verde hasta el marrón oscuro, y en el mar desde azules muy claros en las playas a tonos muy oscuros en las mayores profundidades. En la leyenda se reproduce la escala de colores con las alturas que representan.

También se recurre al **sombreado** para representar las cordilleras, porque produce una impresión más viva del relieve.

La **planimetría** es la representación de los **fenómenos que no tienen relación con la altura.** Según el tipo de mapa, los signos pueden variar mucho. Entre otros, están los que indican el tipo de vegetación, los cultivos, el hábitat, los medios de comunicación o los límites administrativos y de propiedades. En los mapas especializados aparecen otros signos: por ejemplo, en un mapa geológico se representarán con colores los materiales del suelo; en un mapa histórico, por el contrario, aparecerán símbolos que reflejen batallas, alianzas, lugares en que se firmaron tratados, cambios de fronteras, etcétera.

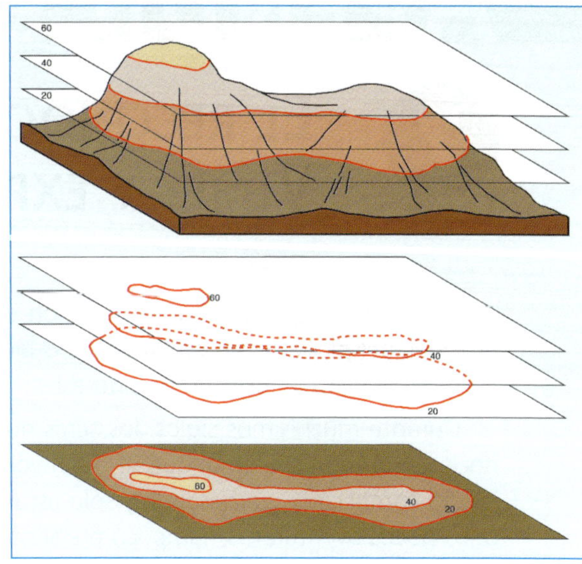

Proyección del relieve mediante curvas de nivel.

En los mapas modernos suelen combinarse los sistemas de curvas de nivel con las llamadas tintas hipsométricas, que permiten diferenciar zonas según su altura.

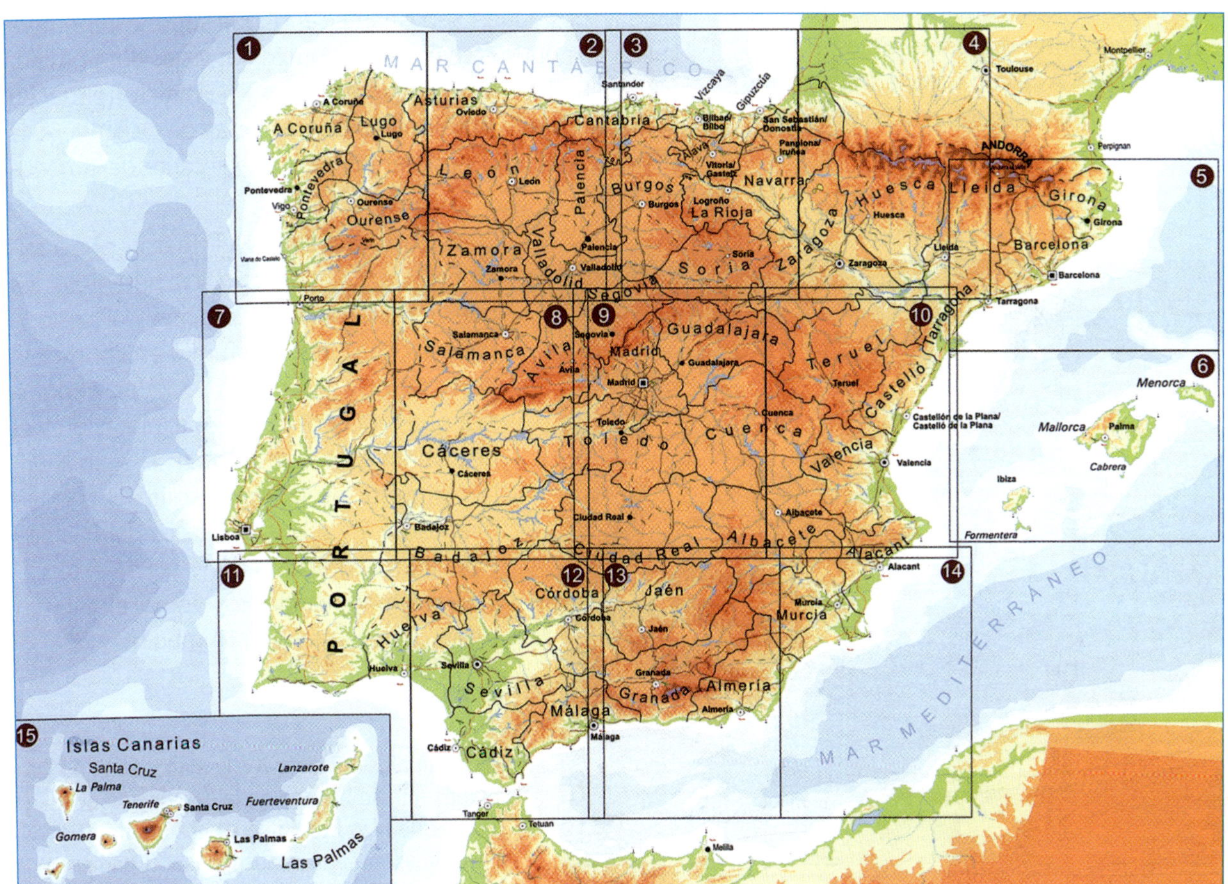

APÉNDICE

7 EL RECONOCIMIENTO DEL PLANETA. VIAJES Y EXPLORACIONES

Hoy conocemos con mucha precisión cada uno de los rincones del planeta. Sin embargo, a lo largo de la mayor parte de la historia, esto no ha sido así.

Durante muchísimos siglos, los seres humanos sólo conocieron el territorio en el que se desenvolvía su vida. Viajar era complicado y arriesgado y sólo estaba al alcance de unos pocos aventureros. Tampoco era sencillo explicar y fijar sobre un mapa los lugares conocidos y explorados.

En la Antigüedad, los habitantes del Mediterráneo sólo conocían las tierras bañadas por el mar y parte de las que se adentraban hacia Europa y África. También conocían la existencia de otras tierras en Oriente, pero apenas tenían datos precisos sobre ellas. Lo mismo ocurría al revés: en Oriente se sabía que existían culturas en Occidente, pero sólo de forma fragmentaria e imprecisa. Menos aún sabían del resto del planeta los aborígenes americanos, centroafricanos o de las islas del Pacífico.

Esta situación permaneció sin cambios hasta el final de la Edad Media. Ya a partir del siglo XII comenzó a ser frecuente que navegantes y comerciantes realizaran viajes a través de las rutas que comunicaban Asia con Europa. Algunos de ellos relataron sus viajes, como hizo Marco Polo en el siglo XIII.

La era de los descubrimientos

A finales del siglo XV comienza la era de los descubrimientos. Fue la necesidad de encontrar más mercados para comerciar lo que impulsó a algunos países a explorar nuevas rutas. Los avances en la navegación (barcos, cartas marinas, instrumentos náuticos) fueron decisivos.

Los portugueses recorrieron toda la costa atlántica africana, hasta doblar el cabo de Buena Esperanza (1488) y descubrir una nueva ruta hacia la India. Los castellanos, por su parte, tras el descubrimiento de Colón (1492), iniciaron la exploración y colonización de América Central y del Sur, que se prolongaría durante los siglos siguientes.

De esta forma, los europeos ampliaron el mundo conocido por ellos, pero al mismo tiempo los habitantes de América conocieron la existencia de otras civilizaciones, para ellos desconocidas.

Entre 1519 y 1522 se realiza el viaje de Fernando de Magallanes y Juan Sebastián Elcano, que supone la primera vuelta al mundo. A partir de entonces, los viajes por el Atlántico y el Pacífico se hicieron frecuentes y permitieron situar en el mapa los diferentes archipiélagos e islas de Oceanía, Asia y África, así como explorar las tierras del interior de América del Norte.

A partir del siglo XVII fueron principalmente los holandeses y los británicos los que impulsaron la ampliación del conocimiento del mundo. Se fundó en Londres la Royal Society, la primera sociedad geográfica que tenía por objeto la exploración y el descubrimiento científico. En el siglo XVIII, la conquista de la India facilitó el conocimiento de las selvas tropicales del Pacífico y del Índico, gracias a los viajes de exploración de grandes viajeros como el capitán Cook o Alexander von Humboldt.

Hasta finales del siglo XV, la elaboración de los mapas aún se basaba en la descripción de la Tierra que hizo Ptolomeo en el siglo II d.C. Es el caso de este mapa, realizado por el flamenco Johannes Schnitzer en 1482.

Las exploraciones contemporáneas

Durante el siglo XIX, tras la Revolución industrial, los países europeos emprendieron una auténtica carrera por colonizar y conquistar los «territorios libres». En esa carrera colonial se sitúan los viajes de exploración al centro de África o las expediciones a los Polos, que permitieron completar el mapa de las tierras del Ártico y, a comienzos del siglo XX, las del continente antártico.

En el siglo XX, la aplicación de nuevas técnicas científicas y las posibilidades que han aportado la aviación y la carrera espacial han permitido corregir los errores anteriores y completar definitivamente el conocimiento de la geografía del planeta. También se ha avanzado muchísimo en el conocimiento de las profundidades del mar y del interior de la Tierra.

En la segunda mitad del siglo XX, nuestro planeta era ya completamente conocido, por lo que el interés de los científicos se ha trasladado a la carrera del espacio.

Fuente: NASA

Estación espacial internacional.

Actividades

1 En su viaje hasta la India, ¿qué océanos tuvieron que atravesar los portugueses?

2 Tras doblar el cabo de Buena Esperanza, ¿qué gran isla encontraron en su camino?

3 El primer viaje alrededor del mundo se inició el 10 de agosto de 1519 y finalizó el 6 de septiembre de 1522. ¿Cuántos días duró la empresa?

4 El capitán Cook fue el primer hombre blanco que visitó… ¿qué famosas islas?

5 Alexander von Humboldt fue un viajero y explorador, pero ¿a qué se denomina «corriente de Humboldt»?

6 ¿Cómo se llamaban los primeros astronautas que llegaron a la Luna?

7 Relaciona en tu cuaderno las tres columnas:

• Marco Polo	• Inglés	• Viajó a China
• Humboldt	• Español	• Primer viajero espacial
• Cook	• Ruso	• Dio la primera vuelta al mundo
• Elcano	• Italiano	• Alcanzó las costas de Nueva Zelanda y Australia
• Gagarin	• Alemán	• Recorrió gran parte de América

8 Los viajes que realizan los astronautas en naves espaciales son semejantes a los realizados por los exploradores siglos atrás. Para los países, la conquista del espacio supone un gasto de millones de euros. Realiza un trabajo en el que indiques si consideras que ese dinero debería emplearse mejor en otras actividades que favoreciesen más directamente a la población mundial. Una vez terminado, inicia un debate con aquellos compañeros que expresen una opinión distinta a la tuya. Acostúmbrate a razonar siempre tus respuestas.

9 Seguro que has oído hablar en numerosas ocasiones de la posibilidad de que existan formas de vida en otros planetas. ¿Tú qué opinas? Si la respuesta es negativa, indica en qué te basas y, si es a favor, ¿cómo crees que pueden ser esas formas de vida? ¿Podrían visitar la Tierra? ¿Por qué crees que muchas personas niegan esta posibilidad? Inicia un debate con aquellos compañeros que tengan opiniones diferentes a la tuya.

PRACTICA COMPETENCIAS

Competencia en el conocimiento y la interacción con el mundo físico

1 Dibuja en tu cuaderno una esfera terrestre como la que te proponemos a continuación y señala en ella los nombres de las líneas imaginarias de la Tierra.

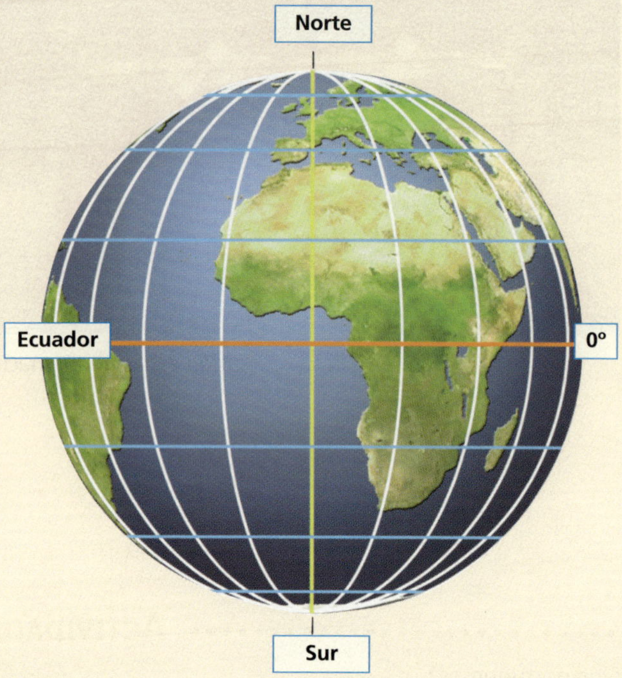

2 Elabora un comentario guiado de un mapa topográfico.

3 Comenta el siguiente dibujo. Fijándote en lo juntas o separadas que aparecen las líneas, podrás determinar cuál de las curvas de nivel representa mayor altura, mayor inclinación de las laderas, etcétera.

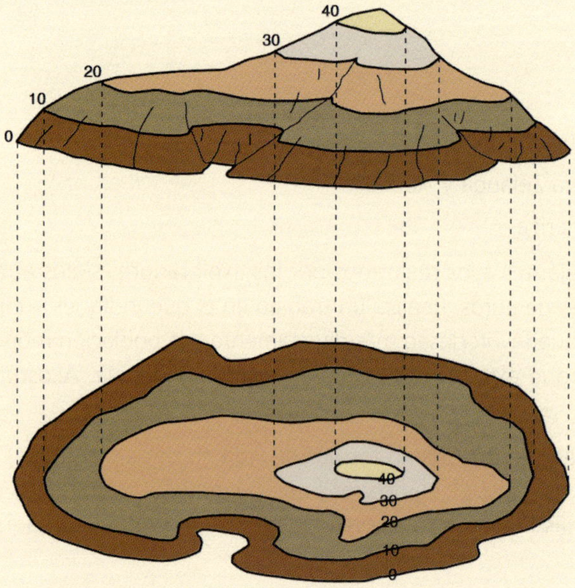

Competencia matemática

4 ¿A qué figura geométrica se parece la Tierra? ¿Por qué decimos que ésa no es una forma geométrica perfecta?

5 ¿En qué mapa encontrarías mayor cantidad de detalles, en uno con escala 1:50.000 o en otro con escala 1:250.000? Razona tu respuesta.

6 Si una nave pudiera desplazarse a la velocidad de la luz, ¿cuánto tiempo tardaría en alcanzar el Sol?

Tratamiento de la información y competencia digital

7 Teclea en tu buscador «NGC4945» y contesta a las siguientes cuestiones:

- ¿Qué significan estas siglas?
- ¿A qué corresponden?
- Indica sus características.

Fuente: European Southern Observatory.

8 Entra en la página que Wikipedia tiene sobre cartografía y contesta a las siguientes cuestiones:

- ¿Qué ciudad fue el centro de la cartografía en el siglo XVI?
- ¿Quién hizo el globo terráqueo más antiguo?
- ¿Quién fue el primero que estudió y promovió la utilización de las proyecciones?
- ¿En qué tipo de mapas empleó Mercator esas proyecciones?

Competencia en comunicación lingüística

9 Explica con tus propias palabras qué significan los siguientes términos en geografía:

- Proyecciones
- Accidentes
- Pendiente
- Alianzas

Competencia para aprender a aprender

10 Completa en tu cuaderno el siguiente texto:

La Tierra, un .... que forma parte del ...., gira en torno al ...., que es una .... Tiene un único ...., que es la ...., de la que nos separan .... La sucesión de los días y las noches es una consecuencia del ...., mientras que las estaciones lo es del .... Para poder representar su superficie sobre un plano se emplean las ...., que pueden ser ...., ... y ....

11 Indica en tu cuaderno si son verdaderas o falsas las siguientes afirmaciones:

- En nuestro hemisferio, la Estrella Polar señala siempre el Norte.
- Los meridianos son todos iguales.
- Los paralelos son todos iguales.
- Un sistema de proyección reciente es el de Peters.

V. van Gogh, *Noche estrellada sobre el Ródano*, 1888, Museo de Orsay, París.

12 Indica en tu cuaderno a qué corresponden las siguientes representaciones:

- Mapas temáticos ....
- Mapas topográficos ....
- Mapas físicos ....
- Mapas políticos ....
- Mapas de transporte ....
- Croquis ....
- Corte topográfico ....

13 ¿Para qué sirve la leyenda de un mapa?

14 ¿Qué son las coordenadas geográficas? ¿A qué llamamos longitud? ¿Y latitud?

15 ¿Qué es el Sistema Solar? ¿Cómo se llama el satélite de la Tierra?

PÁGINAS WEB

Las siguientes páginas web te pueden ayudar en el estudio de esta unidad:

Instituto de Tecnologías Educativas:

http://www.isftic.mepsyd.es/

Esta página está en inglés, por lo que, además de estudiar geografía, puedes practicar este idioma:

www.worldatlas.com/aatlas/world.htm

Los mapas pueden servirte para realizar ejercicios prácticos:

http://go.hrw.com/atlas/span_htm/world.htm

Página que permite ver fotografías y trabajar, sobre todo, las primeras unidades:

www.astromia.com

Mapas en tres dimensiones. Con esta página puedes localizar puntos de cualquier lugar de la Tierra:

http://earth.google.es

Además de información, contiene juegos y pasatiempos:

http://spaceplace.nasa.gov

Los elementos del medio natural

«Hubo un tiempo en que la gran masa continental de la India y el resto de Asia estaban separados por un ancho mar [...]. El mar se iba reduciendo cada vez más y, año tras año, siglo tras siglo, la India y Asia se aproximaban [...].Todo ello requirió millones de años. El Tíbet, que antes de la unión de los dos continentes era una llanura bien abastecida de agua y situada en el borde sur de Asia, no sólo fue empujado hacia arriba, sino que, además, las jóvenes montañas le privaron de las lluvias y pasó, así, a ser el frío y elevado desierto actual. [...] Este proceso no ha finalizado todavía. La India sigue desplazándose hacia el norte, a una velocidad de 5 cm por año; durante este mismo periodo las cimas del Himalaya se elevan 1 mm más.»

David ATTENBOROUGH,
El planeta viviente, Barcelona, Salvat, 1994.

- ¿Cuáles son los continentes?
- ¿Conoces el nombre de los océanos? ¿Sabrías decir entre qué continentes se encuentran?
- ¿Qué es un terremoto?

2

El relieve de la Tierra y la configuración de los mares y continentes son el resultado de una larguísima evolución geológica que continúa actuando y modificando la Tierra. En la fotografía, una imagen satélite de la península del Sinaí, con el mar Rojo y el canal de Suez a la izquierda.

Fuente: Jeff Schmaltz, MODIS Rapid Response Team, NASA/GSFC.

1 Composición de la Tierra y placas terrestres

1.1. La composición de la Tierra

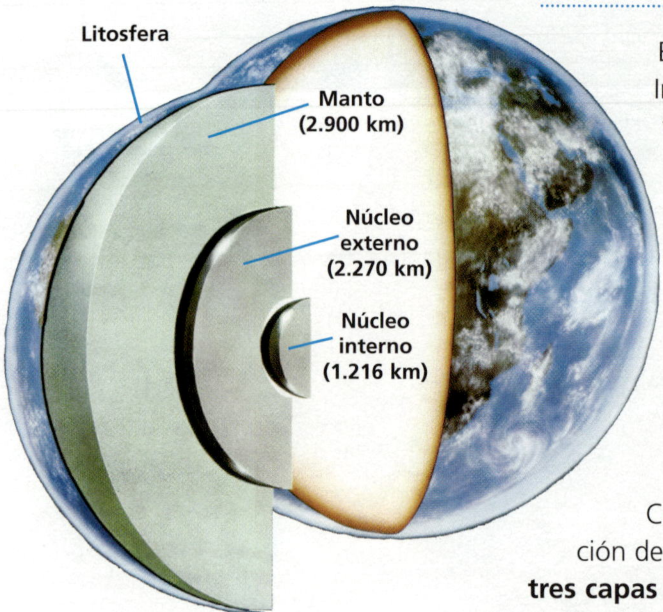

Distintas capas que forman el interior del planeta.

El **origen de la Tierra** data de hace **unos 4.600 millones de años.** Inicialmente estaba compuesta por materiales incandescentes. Conforme se fue enfriando, los materiales interiores se fueron haciendo sólidos, mientras grandes cantidades de gases y vapor de agua eran expulsadas hacia la superficie.

El planeta presenta una estructura externa formada por:

- La **atmósfera:** capa de aire que rodea la superficie terrestre, compuesta de gases y partículas en suspensión.
- La **hidrosfera:** conjunto de aguas marinas y continentales que cubre el planeta.
- La **biosfera:** capa formada por el medio natural en el que se desarrolla la vida de animales y plantas.

Conocemos en parte el **interior del planeta,** a partir de la observación de los materiales volcánicos y de las ondas electromagnéticas. Existen **tres capas principales:**

- El **núcleo:** la zona interna, de unos 3.500 km de radio. Sabemos poco de su interior, pero sí que sus materiales son muy densos y que en su parte central son sólidos.
- El **manto:** tiene unos 2.900 km de espesor y está formado por varias capas de materiales semifundidos y viscosos, que experimentan movimientos muy lentos.
- La **corteza terrestre** o **litosfera:** es la capa exterior y más delgada de la Tierra, formada por materiales sólidos. Es más profunda en las zonas de los continentes y menos espesa en el fondo de los océanos.

1.2. Las placas terrestres y su distribución

El conocimiento del interior de la Tierra ha avanzado mucho en las últimas décadas gracias a técnicas como la medición de las vibraciones de los terremotos, la gravimetría, que estudia las diferencias en la fuerza de la gravedad, o el análisis de muestras lunares.

En la segunda mitad del siglo XX, tras más de dos siglos de observaciones geológicas y geofísicas, se desarrolló una nueva teoría, denominada **tectónica de placas,** que explica los fenómenos de evolución del planeta. El estudio de la composición de la litosfera ha llevado a la conclusión de que está formada por una serie de placas, fragmentos de la corteza que encajan entre sí y que se mueven sobre el manto.

Ese movimiento, de unos centímetros al año, produce el contacto entre las placas. Cuando dos de ellas chocan entre sí, producen un **plegamiento** y dan lugar a la formación de **montañas.** Otras veces se produce una **subducción,** que consiste en que una placa se hunde por debajo de otra.

En el fondo de los océanos, por el contrario, las zonas de contacto, llamadas **dorsales oceánicas,** están abiertas, y por ellas fluye material incandescente procedente del manto, que se va extendiendo horizontalmente y da lugar a la expansión progresiva del fondo oceánico.

Los **lugares de contacto y fricción entre las placas** son también aquellos en los que se concentra la **actividad sísmica y volcánica.**

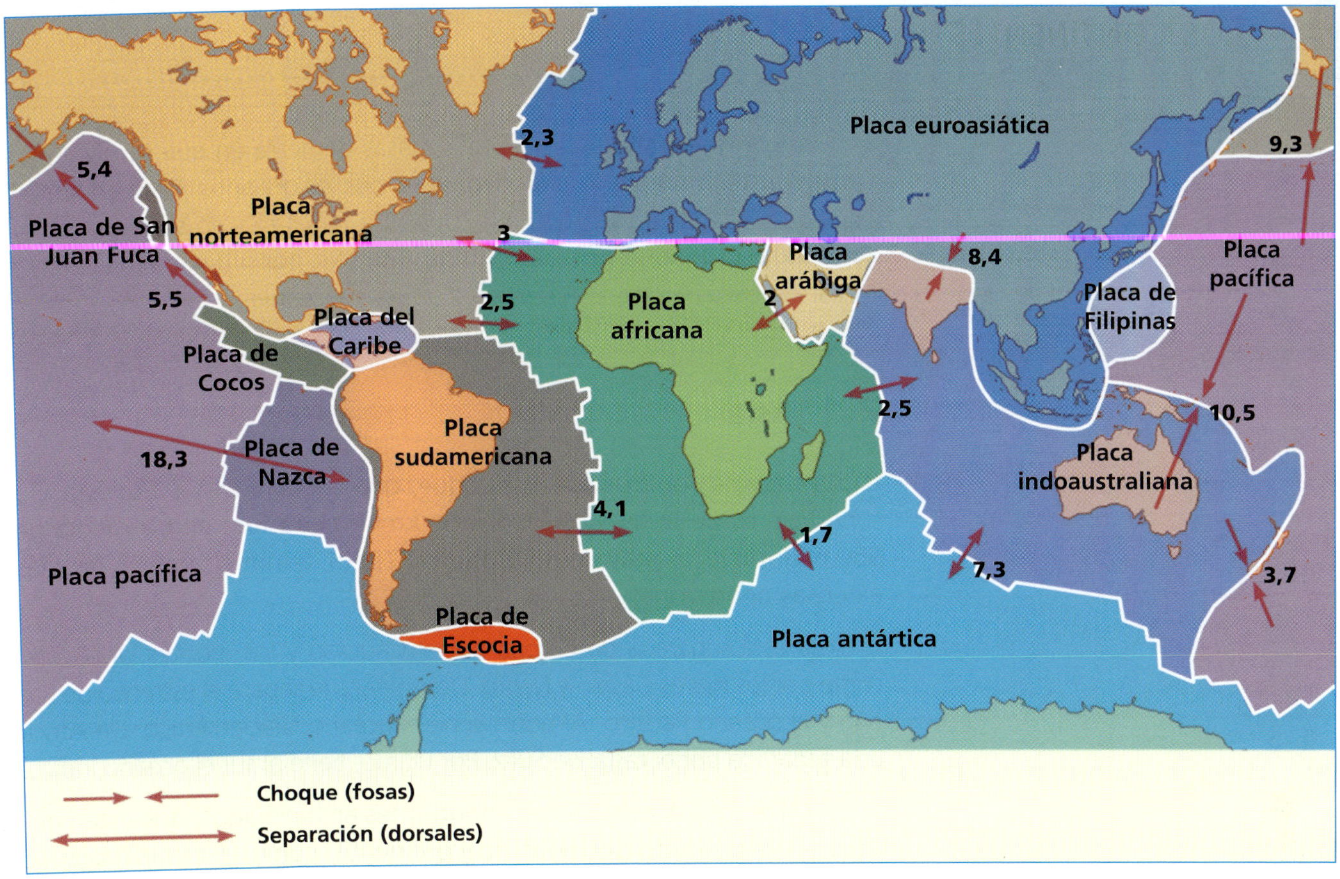

Placas que forman la corteza terrestre. Las áreas de contacto entre las placas coinciden con las zonas de máxima actividad volcánica y sísmica. También puede observarse la tendencia a la expansión de los océanos, a partir de la separación de las dorsales.

1.3. La formación de los continentes

Si observamos las formas de los continentes, podemos comprobar que algunos de ellos parecen encajar en la distancia, como ocurre entre América del Sur y África o entre Australia y el golfo de Bengala.

En 1912, un geólogo alemán, **Wegener,** formuló la **hipótesis de la deriva de los continentes.** Según esta teoría, las tierras emergidas serían el resultado de la **fragmentación de un solo bloque sólido gigantesco,** llamado **Pangea.** Ese proceso habría durado cientos de millones de años y explicaría la coincidencia, a través de la distancia, de las costas de los continentes. Además, ese movimiento continuaría a razón de unos pocos centímetros al año.

ACTIVIDADES

1 Define en tu cuaderno los siguientes conceptos:
- Corteza terrestre o litosfera ....
- Manto ....
- Núcleo ....

2 Explica por qué, si uniéramos las costas de América del Sur y de África, veríamos que encajan entre sí. ¿Qué hipótesis defiende ese proceso?

3 Explica con tus palabras la teoría de la tectónica de placas.

4 Define qué es Pangea.

1

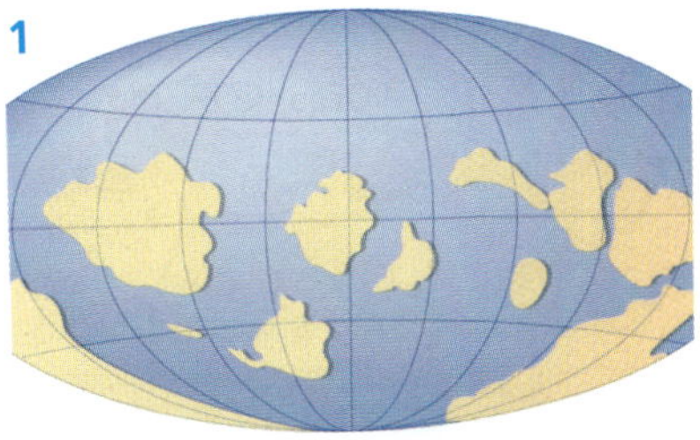

2

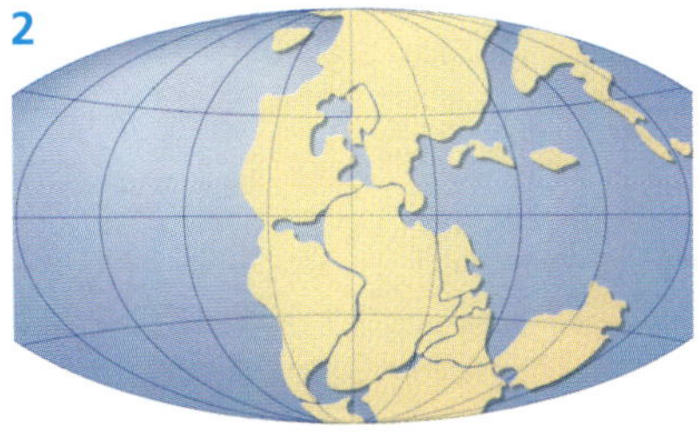

3

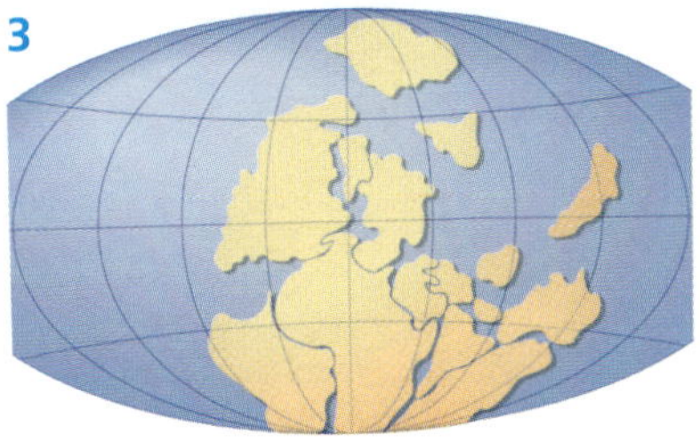

4

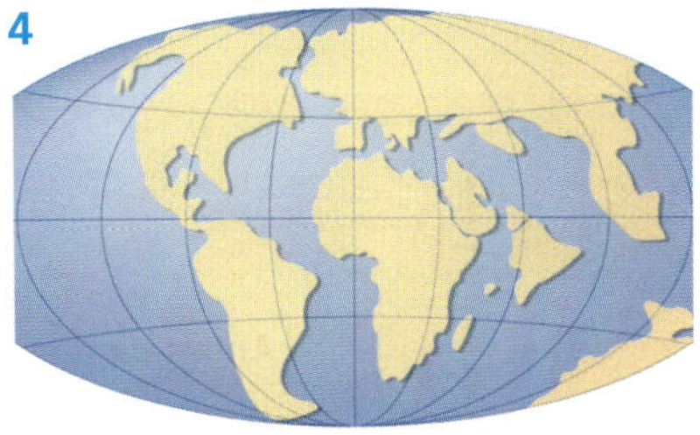

5

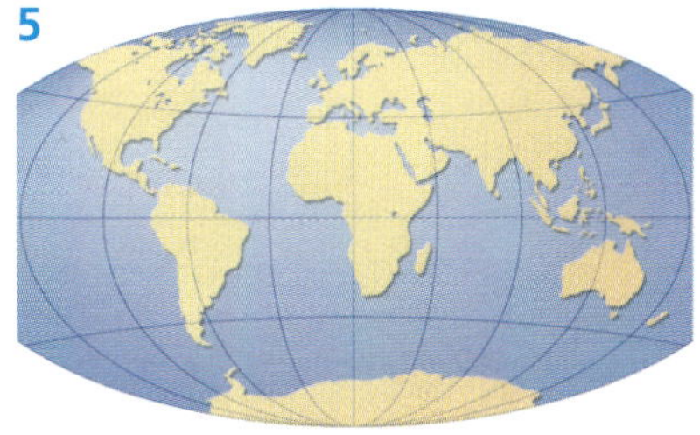

Diferentes etapas en la evolución de los continentes. Los estudios geológicos permiten reconstruir cuál ha sido, aproximadamente, el proceso de disgregación y deriva de los continentes, hasta llegar a la distribución actual.

2 Los continentes

Los **continentes** son las grandes masas de tierra en que se divide la superficie terrestre y que están separadas por los océanos. Ocupan aproximadamente el 29 por 100 de la superficie terrestre y en su mayor parte se extienden por el hemisferio norte. Son seis, por orden de extensión: Asia, América, África, la Antártida, Europa y Oceanía.

2.1. Asia

Asia forma con **Europa** un bloque, que denominamos **Eurasia.** Su superficie es de unos 44 millones de km^2 y tiene una altura media de 950 m. Incluye las mayores alturas de la Tierra, aunque también las más extensas depresiones.

Asia está separada de Europa por el Cáucaso y los montes Urales, así como por los mares Caspio y Negro. De América la separa el estrecho de Bering y el océano Pacífico. Al norte tiene el océano Glaciar Ártico. De África está separada por el canal de Suez. Por último, tiene al sur el océano Índico.

Hacia el sur y el este existen importantes archipiélagos, que están entre las regiones más pobladas del continente, como el archipiélago de Japón.

Distribución de los continentes y de los océanos.

2.2. América

Es una masa de tierra que, en realidad, podemos dividir en **tres subcontinentes: América del Norte, Central y del Sur.** Su extensión es de 42 millones de km^2 y su altura media es de 655 m. Puesto que abarca prácticamente todo el territorio entre los dos Círculos Polares, su variedad climática y paisajística es muy amplia.

Está separada de Asia por el estrecho de Bering. Al este tiene el océano Atlántico y al oeste el Pacífico, mientras que al norte y sur se sitúan los océanos Ártico y Antártico.

La mayor parte de las tierras insulares se concentran en América Central, en las Grandes y Pequeñas Antillas.

2.3. África

Es el más compacto de los continentes y tiene, además, el perfil más definido de todos. Su superficie es de unos 30 millones de km^2 y su altura media alcanza los 750 m, en parte por la gran extensión que ocupan las sabanas, situadas a gran altura. Por su posición al norte y sur del Ecuador, en África conviven los climas y medios más extremos, desde el ecuatorial a los desiertos secos, como Sahara o Kalahari.

Limita al norte con el mar Mediterráneo y hacia el este con el canal de Suez –que la separa de Asia– y con el océano Índico. Al oeste se sitúa el océano Atlántico, que se une con el Índico en el sur del continente.

A África pertenece la gran isla de Madagascar, en el océano Índico, así como varios archipiélagos menores. Geográficamente, también forma parte de África el archipiélago de las islas Canarias.

2.4. Antártida

Es un **continente helado** en casi toda su extensión. Tiene unos 14 millones de km^2, aunque en invierno los hielos lo extienden por encima de los 30 millones de km^2. Su altitud media es de 2.600 m. Sus costas están bañadas por el océano Glaciar Antártico.

2.5. Europa

Europa es realmente una península de Asia. Si se la considera un continente es debido a razones históricas más que geográficas. Tiene una superficie de 10 millones de km^2 y una altitud media sobre el nivel del mar de 340 m.

Está separada del resto de Asia por las cordilleras de los Urales y del Cáucaso. Sus costas están bañadas por el mar Mediterráneo al sur, el océano Glaciar Ártico al norte y el océano Atlántico hacia el oeste.

Tiene en general unas formas muy irregulares, con grandes penínsulas separadas por mares, y bastantes archipiélagos.

2.6. Oceanía

Es el más complejo de los continentes. Con unos 9 millones de km^2, está compuesto por miles de islas, distribuidas en archipiélagos a lo largo del océano Pacífico. Entre ellas destacan por su gran extensión algunas, como Australia, auténtico continente en sí mismo, Nueva Guinea o Nueva Zelanda. El resto del territorio se suele agrupar en varios conjuntos de archipiélagos: Melanesia, Micronesia y Polinesia.

Actividades

5 Si fueras por tierra de Europa a África, de África a Asia y de Asia a América, ¿qué canales o estrechos tendrías que atravesar?

6 Indica entre qué continentes están situados los mares Mediterráneo, Negro y Rojo.

3 El relieve (I). Su origen: los agentes internos

3.1. El relieve

Llamamos **relieve** al conjunto de formas de la superficie terrestre. Es el resultado de las transformaciones que ha experimentado la superficie de los continentes a lo largo de los 4.600 millones de años en que se calcula la edad de la Tierra.

Las diferentes formas del relieve se producen por la acción combinada de dos tipos de **agentes:**

- **Internos:** los movimientos de las placas, que dan lugar al choque entre ellas y que pueden producir plegamientos, pero también erupciones volcánicas y terremotos. En todos estos casos se producen transformaciones en el relieve.
- **Externos:** principalmente por la acción erosiva del viento y de las aguas, así como de los glaciares de alta montaña. En determinadas condiciones, también interviene la acción de los seres vivos.

El relieve está en constante **transformación.** La acción de estos agentes es normalmente un **proceso lentísimo,** que no podemos percibir más que con instrumentos muy precisos.

El desplazamiento de las placas se debe a que tanto las continentales como las oceánicas se sitúan sobre los materiales menos densos y viscosos que componen el manto, y que experimentan movimientos muy lentos, aunque constantes.

3.2. Los agentes internos

La formación del relieve terrestre es consecuencia directa del choque entre las placas que constituyen la corteza terrestre. Sin embargo, los resultados son muy distintos, según a qué tipo de materiales afecte y cómo se produzca el choque.

- Cuando los materiales son recientes y relativamente blandos, el choque produce **plegamientos,** que dan lugar a montañas y cordilleras.

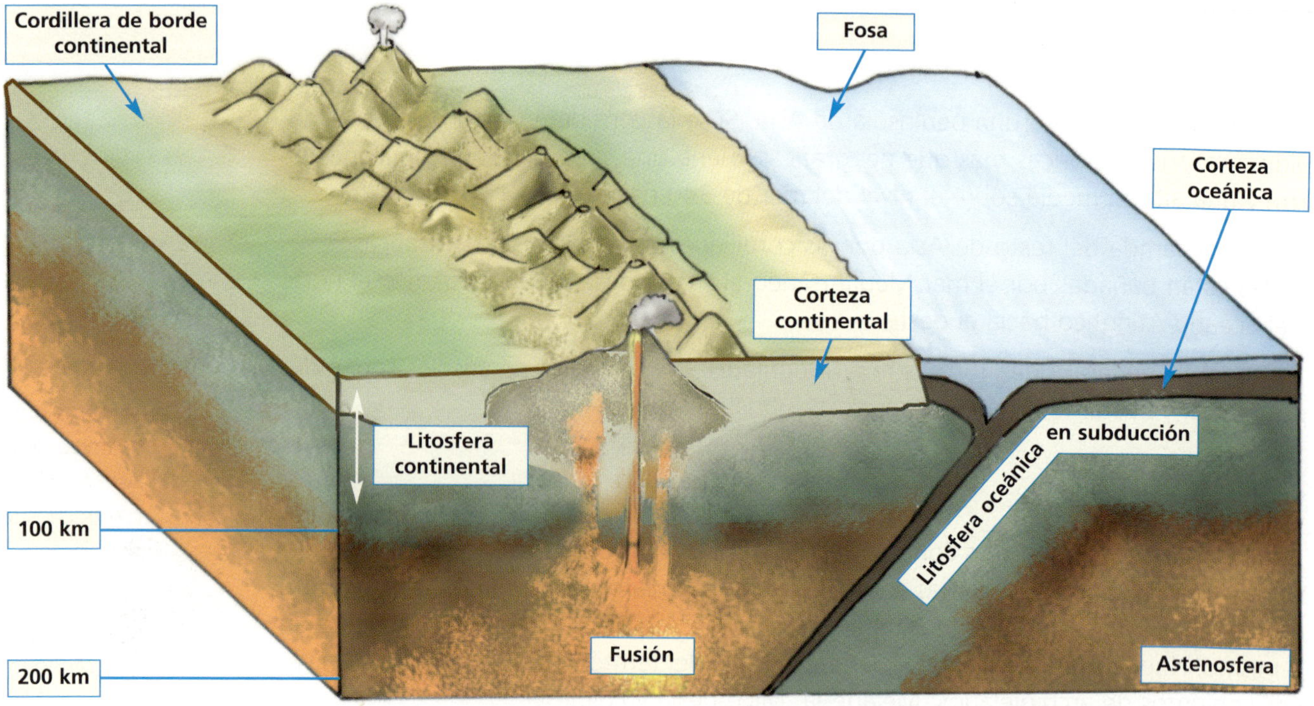

- Si el choque se produce entre dos placas continentales que presionan por igual los materiales acumulados, el resultado es un **plegamiento regular,** como ocurre en el caso de los Pirineos.
- También puede ocurrir que una placa se introduzca por debajo de otra, dando lugar a un **pliegue irregular:** es el caso de los Andes, cuyas laderas occidentales caen de forma abrupta hacia el océano.

Los plegamientos pueden estudiarse analizando los distintos estratos de sedimentos que presentan las montañas. A veces son bien visibles, como en el Sot de Chera, en Valencia.

- Cuando las placas presionan sobre materiales muy antiguos y rígidos, suelen producirse fracturas, que dan lugar a **fallas** y deslizamientos del terreno.

La falla de San Andrés, en California, es una inmensa grieta producida por la constante acción de los terremotos en una de las zonas sísmicas más activas de la Tierra.

- Los movimientos de las placas también provocan los **terremotos** y los **volcanes.** Ambos fenómenos traen consigo cambios en el relieve. Los terremotos muy violentos pueden producir deslizamientos y fallas, así como los volcanes han generado a lo largo del tiempo la aparición de archipiélagos e islas (las Canarias, Sicilia). Sin embargo, los volcanes también han producido el efecto contrario: en 1883, la explosión de un volcán hizo desaparecer buena parte de la isla de Krakatoa, situada entre Java y Sumatra.

Diferentes tipos de contacto entre las placas:

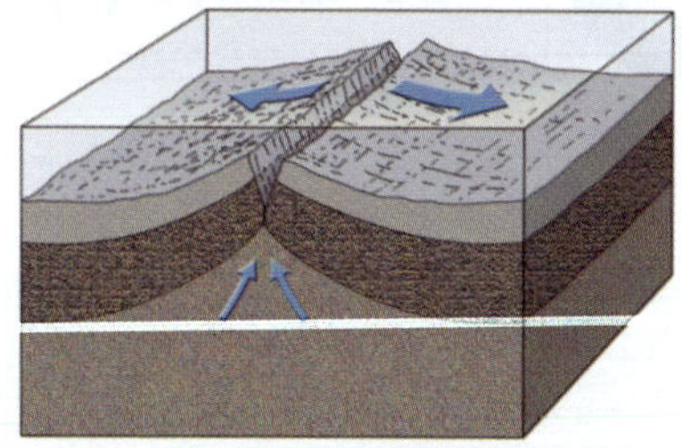

a) Las placas se fracturan y se separan. Es lo que ocurre en la Dorsal Atlántica.

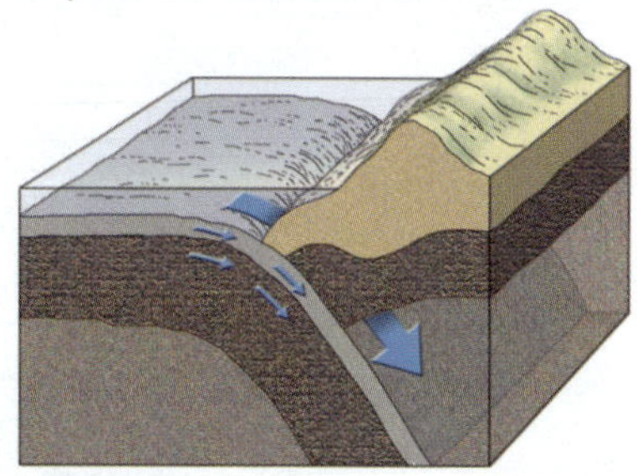

b) Una placa se introduce debajo de la otra. Es lo que ocurre en el sur de América, donde la placa del Pacífico se introduce por debajo de los Andes.

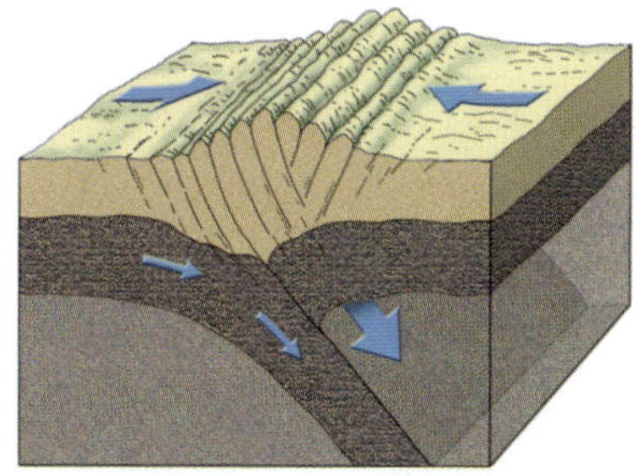

c) Las placas chocan y sus bordes se levantan a la vez. El Himalaya es resultado de un choque así.

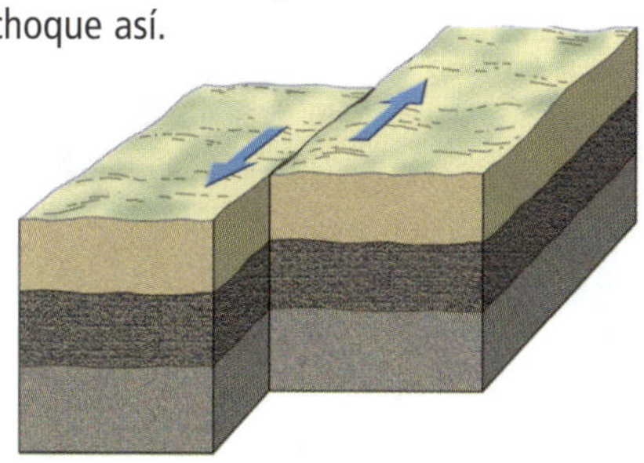

d) Deslizamiento lateral entre dos placas. Produce grandes fallas y movimientos sísmicos, como en la falla de San Andrés, en California, y en Centroamérica.

Actividades

7 ¿Qué diferencias existen entre un plegamiento y una falla?

8 Localiza las zonas de la Tierra en que son más frecuentes los terremotos y los volcanes. Explica las razones de esa localización.

4 El relieve (II). Los agentes externos. Las formas del relieve

Valle de un río en forma de V: río Reyes, en Argentina.

4.1. Los agentes externos

Los fenómenos atmosféricos, el viento, el agua y los cambios de temperatura actúan sobre la superficie terrestre, transformándola.

La acción de los fenómenos atmosféricos atraviesa **tres fases:**

- **Erosión:** destrucción de los materiales por razones físicas o químicas.
- **Transporte:** proceso de arrastre de los materiales erosionados.
- **Sedimentación:** proceso por el cual los materiales arrastrados se depositan y acumulan en los fondos de los valles.

4.2. La acción de los agentes externos

Las **variaciones de temperatura** pueden producir la descomposición de las rocas, bien porque los minerales se contraen y dilatan, bien por la alteración química de sus elementos.

El **agua de los ríos** excava el lecho, que se hace más profundo, al tiempo que se forman valles, laderas escarpadas y cañones. Los valles fluviales tienen en general forma de V. El efecto es más intenso en las zonas altas, por la mayor pendiente. A lo largo de su curso, el río arrastra materiales y tiende a depositarlos en las zonas bajas, junto a las desembocaduras. A veces da lugar a extensas **llanuras aluviales** o **deltas.**

Los **glaciares** forman valles de fondos lisos y en forma de U, pero también barreras por materiales acumulados **(morrenas)** y **circos,** que son cubetas circulares formadas por la erosión del hielo en el punto de

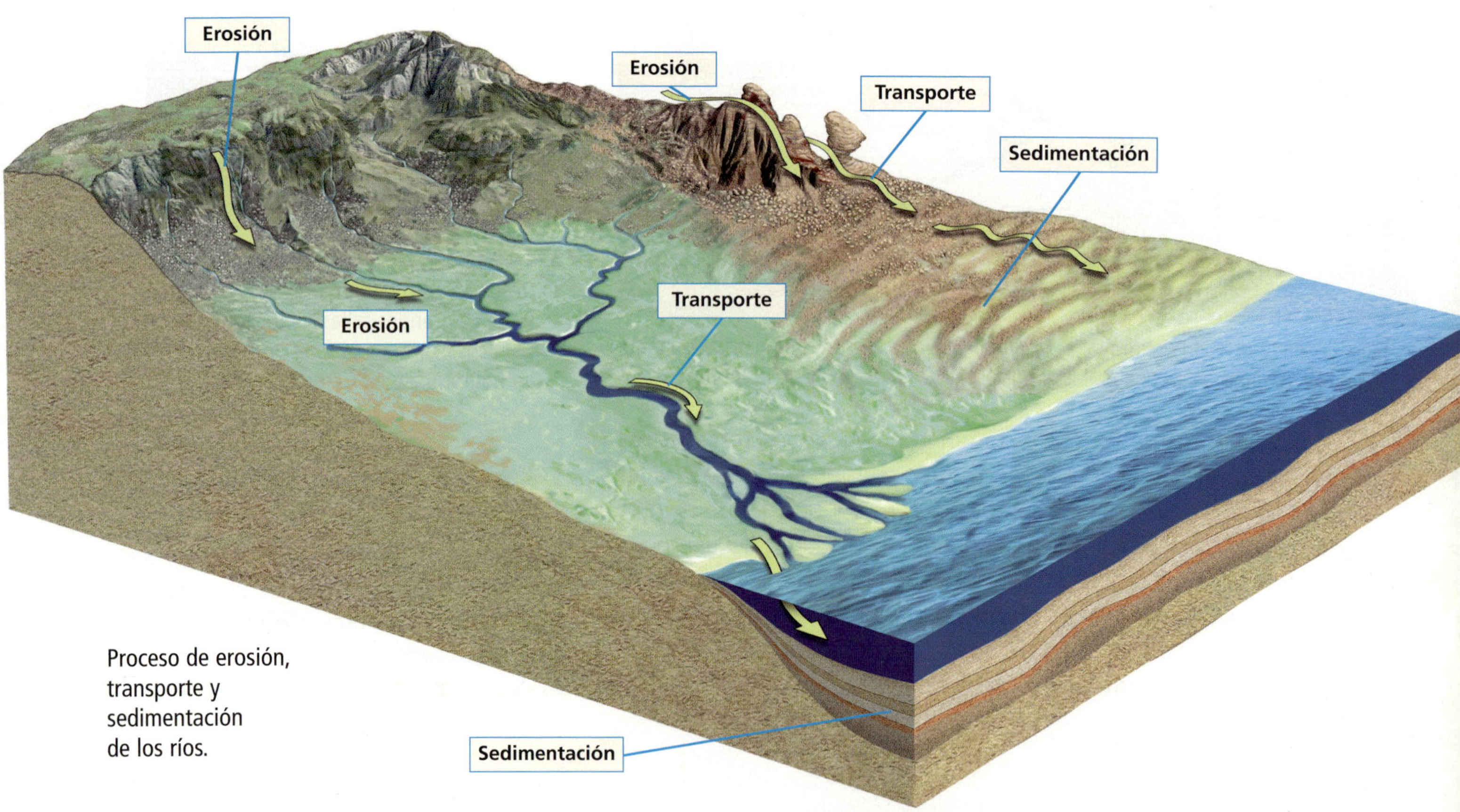

Proceso de erosión, transporte y sedimentación de los ríos.

origen de un glaciar. El hielo, cuando se forma en los resquicios de las rocas, es también un agente de disgregación física, al romperlas por efecto de la dilatación.

Las **aguas subterráneas** son, asimismo, agentes erosivos. Forman galerías, grutas y formas caprichosas –como las estalactitas y estalagmitas– y paisajes muy accidentados.

El **viento** arranca fragmentos de rocas blandas, desgasta sus perfiles y, sobre todo, arrastra y acumula las partículas en zonas bajas, lo que torna más fácil su sedimentación.

Valle producido por un glaciar en los Alpes. A diferencia de los ríos, el hielo de los glaciares va excavando el valle de forma más homogénea, dando lugar a fondos más anchos y horizontales, en forma de U.

4.3. Principales formas del relieve

La acción de los agentes internos y externos ha dado lugar a una serie de formas del relieve terrestre características. Las más importantes son:

- **Montaña:** elevación del terreno con pendientes pronunciadas.
- **Cordillera:** sucesión continuada de montañas, en forma de alineación.
- **Macizo:** elevación del terreno de grandes dimensiones, formada por muchas montañas que no constituyen alineaciones definidas.
- **Cerros** o **colinas:** pequeñas y suaves elevaciones del terreno, que pueden presentarse aisladas o agrupadas.
- **Meseta** o **altiplano:** región elevada respecto a otras zonas próximas.
- **Llanura:** región llana o suavemente ondulada, cuya altura está próxima al nivel del mar.
- **Valle:** zona baja situada entre montañas, excavada y cruzada por un río.
- **Depresión:** región que se encuentra por debajo del nivel de las formaciones de relieve que la rodean.

Actividades

9 Explica de qué manera el curso de un río modifica la superficie terrestre.

10 Dibuja un croquis con las siguientes formas de relieve: montaña, meseta, valle, depresión.

11 Explica las diferencias que existen entre una llanura y una meseta.

Formas del relieve terrestre.

5 LAS GRANDES UNIDADES DEL RELIEVE TERRESTRE (I): ASIA Y AMÉRICA

5.1. Asia

Mapa físico de Asia.

El monte Everest, al fondo. El Himalaya es el macizo montañoso más alto de la Tierra. Es, además, muy extenso y por sí solo eleva varios cientos de metros la altitud media de Asia.

Fuente: J. D. Ives, *Montañas,* Barcelona, Plaza & Janés, 1993, p. 21.

Es un continente de gran extensión, formado básicamente por tres grandes conjuntos:

- El **Escudo* Siberiano** está situado al norte y lo forman la extensa llanura de Siberia Occidental –una gran depresión limitada al oeste por los montes Urales– y la meseta de Siberia Central, más elevada y rodeada de varias cordilleras importantes: los montes Stanovoi, Yablonoi y, al sur, los montes Altai.
- La **península del Indostán** (hoy conocida como **subcontinente Indio**) es un gran macizo situado al sur, un antiguo plegamiento arrasado, que forma parte de la placa indoaustraliana. Se une al continente por dos grandes depresiones, que ocupan los ríos Indo y Ganges.
- Los **pliegues alpinos** incluyen las montañas más altas de la Tierra, entre las que destacan las del Hindukush y el Himalaya, con el monte Everest, el más alto del mundo (8.844 m). También son cordilleras alpinas los montes Zagros, en Turquía, e igualmente los numerosos archipiélagos del Sudeste asiático, entre los que destacan los de Japón, Filipinas e Indonesia.

Otras regiones extensas son las dos penínsulas que cierran el continente por el este (Indochina) y por el oeste (la península Arábiga).

5.2. América

Los dos subcontinentes, América del Norte y del Sur, se separaron primero de Eurasia y África, para acabar unidos más tarde, al levantarse el istmo de Panamá.

América del Norte está formada básicamente por dos depresiones centrales y dos grandes pliegues:

- El **Escudo Canadiense** es una llanura de gran extensión y baja altura, que se hunde en una depresión central, la bahía de Hudson, y se levanta hacia el este en la península del Labrador.
- Las **Grandes Llanuras,** que forman el centro de los Estados Unidos, están separadas del Escudo por los Grandes Lagos, de origen glaciar. Hacia el Sur el terreno desciende en la gran Cuenca del Misisipi.
- Los **montes de Alaska** y las **Montañas Rocosas,** formados por el gigantesco y largo pliegue alpino situado hacia el oeste.
- Los **montes Apalaches,** que constituyen el plegamiento oriental que separa las Llanuras del Atlántico.

América del Sur está formada alrededor del llamado Escudo Guayano-Brasileño, en el que se distinguen:

- **Dos grandes macizos,** el de las Guayanas y la Meseta del Brasil.
- **Grandes depresiones,** especialmente la que forma el valle del Amazonas, pero también Los Llanos, al norte, por donde transcurre el río Orinoco, y El Gran Chaco y las Pampas, a ambos lados del río Paraguay.
- **La cordillera de los Andes,** prolongación del plegamiento alpino de América del Norte, auténtico espinazo del continente y que incluye la mayor altura de América, el Aconcagua (6.959 m), en Chile.

Centroamérica es el resultado de la unión de la Sierra Madre mexicana, que es continuación de las Montañas Rocosas, con una serie de montañas formadas tanto por plegamientos como por la intensa actividad volcánica de la región. También son de origen volcánico la mayor parte de las islas Antillas, en el mar Caribe.

CONCEPTOS

Escudo: es una superficie terrestre muy antigua y muy erosionada, que forma la base de un continente o de una parte importante del mismo.

Mapa físico de América.

Zona meridional de la cordillera de los Andes, en una fotografía aérea que permite comprobar la extensión de las áreas nevadas.

Fuente: NASA

6 LAS GRANDES UNIDADES DEL RELIEVE TERRESTRE (II): ÁFRICA Y ANTÁRTIDA

6.1. África

África es quizá el continente con un relieve más homogéneo. Se trata **de una gran cubeta sedimentaria de gran altura,** dentro de la cual se elevan una serie de **pequeñas cordilleras y macizos.** Los más importantes son la cordillera del Atlas, en el norte; los de Ahaggar, Tibesti y Darfur, en medio del Sahara; el Macizo Etíope, en el este; y los montes Drakensberg, en Sudáfrica.

Mapa físico de África.

En la zona centroriental se encuentra una serie de cordilleras en sentido norte-sur, en medio de las cuales transcurre **el valle del Rift,** una gran fosa tectónica ocupada por **grandes lagos.** Entre éstos destaca el lago Victoria y, entre las montañas, el monte Kenia y el Kilimanjaro, la cumbre más alta de África (5.895 m).

Las tierras bajas se reparten entre **grandes desiertos** (Sahara al norte, Kalahari al sur) y las cuencas de los **grandes ríos** (Nilo, Congo, Chad y Níger).

6.2. Antártida

Se trata de un continente situado sobre el Polo Sur, formado **por un macizo muy erosionado, sin grandes accidentes.** Es muy regular hacia Oriente, donde sigue más o menos el contorno del Círculo Polar. En el lado occidental, el mar de Ross invade las tierras y limita su extensión, salvo por la península Antártica, que avanza casi hasta conectar con la Tierra de Fuego, en el sur de América.

Mapa físico de la Antártida.

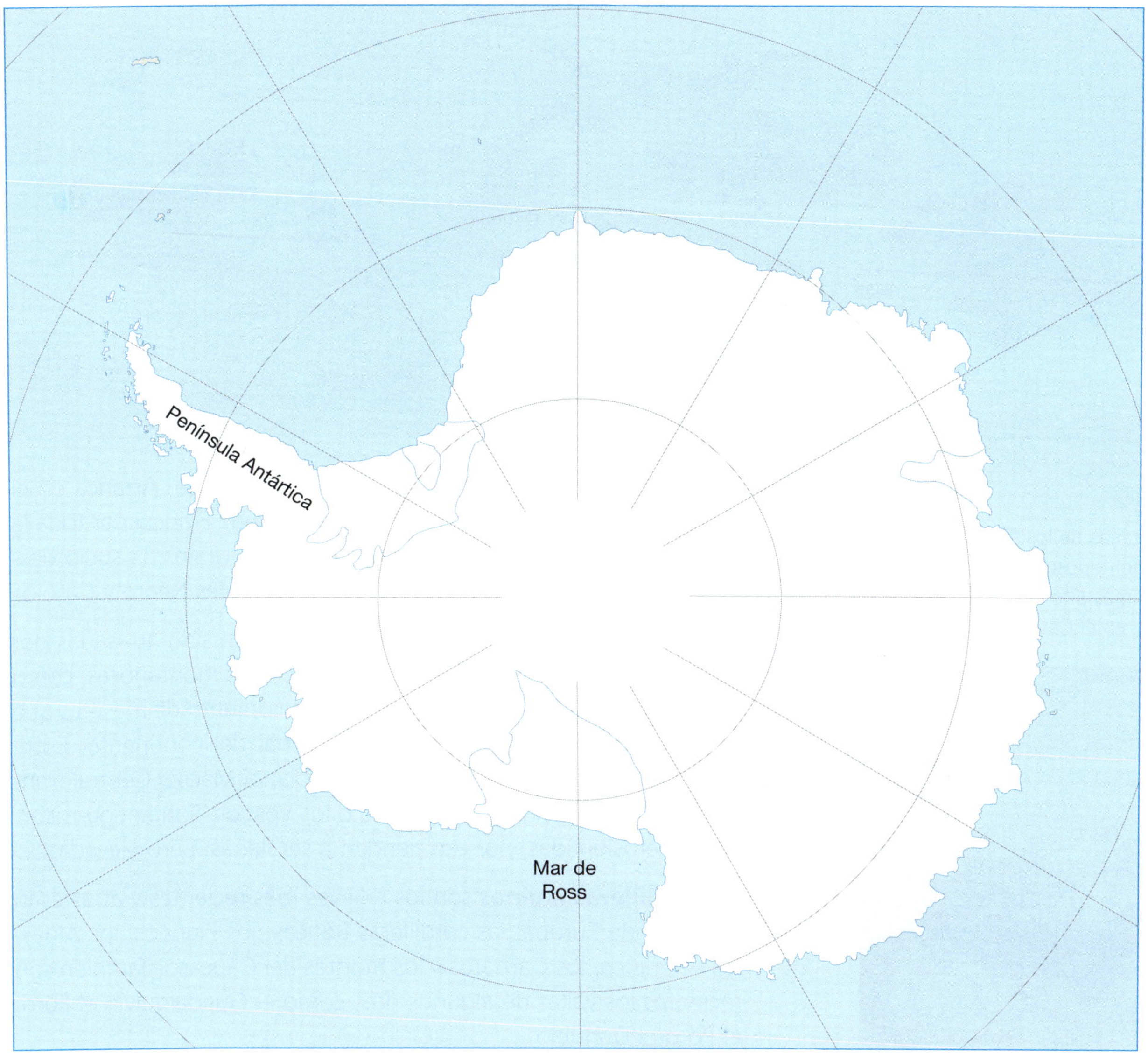

7 Las grandes unidades del relieve terrestre (III): Europa y Oceanía

7.1. Europa

Pese a su tamaño relativamente menor, Europa presenta un **relieve muy variado y accidentado.** Pueden distinguirse tres tipos de unidades del relieve:

Mapa físico de Europa.

- La **Gran Llanura** forma el esqueleto del continente. Arranca en el Pirineo occidental y se extiende desde el oeste de Francia por toda la franja norte del continente, hasta alcanzar los Urales. El suelo desciende hacia el Báltico y, por el sur, hacia los mares Negro y Caspio.
- Las **cordilleras más antiguas de Europa** han sido arrasadas por la erosión. Hoy queda una serie de alineaciones montañosas, como los montes Escandinavos, y sobre todo un conjunto de mesetas que se extienden por toda la mitad meridional del continente. Entre ellas, destacan la Meseta Central española, el Macizo Central francés, las Ardenas, el Macizo Renano o los Vosgos. Son antiguas cordilleras erosionadas, por eso tienden a ser llanas, pero elevadas.
- Las **cordilleras alpinas** son los relieves más recientes y atraviesan el centro de Europa: las cordilleras Béticas, los Pirineos, los Alpes, los Apeninos, los Cárpatos y los montes del Cáucaso. También son recientes los valles de algunos ríos, como el Guadalquivir, el Ebro, el Po o el Danubio.

Vista de las montañas de los Alpes. Aunque es el sistema montañoso más importante de Europa, el pico más alto del continente es el monte Elbrus, en el Cáucaso, con 5.633 m.

La mayoría de las islas y archipiélagos forman parte de plegamientos (Baleares, islas Británicas), pero algunas son de origen volcánico, como Islandia.

7.2. Oceanía

Es un continente formado por **grandes islas y archipiélagos.** El núcleo principal lo constituyen Australia, Nueva Guinea y los archipiélagos de Melanesia. Todos ellos comparten un zócalo común, que se extiende bajo el mar.

Australia es un bloque homogéneo, formado por tres unidades: una meseta al oeste, extensas llanuras en el área central y la cordillera Divisoria, en el lado oriental, que se prolonga bajo el mar en la isla de Tasmania.

El resto del continente está formado por **las islas de Nueva Zelanda** y por **varios conjuntos de archipiélagos** (Melanesia, Polinesia y Micronesia), que se extienden desde el Trópico de Cáncer hasta el de Capricornio. Además de islas de origen volcánico, hay que destacar la existencia de otras formadas por el coral*.

Conceptos

Coral: es un arrecife formado por millones de pequeños pólipos y algas calcáreas, que se forma en aguas tropicales y a veces emerge del fondo de los mares.

Mapa físico de Oceanía.

8 LAS AGUAS MARINAS Y LOS OCÉANOS

¿SABÍAS QUE...?

Las **mareas** se producen por la atracción que ejercen la Luna y, en menor medida, el Sol. Esa atracción genera un abombamiento en alta mar, que se convierte en un movimiento ondulatorio hacia las costas. Llamamos **flujo** al proceso de subida del nivel del agua, **pleamar** a la situación en que alcanza su mayor altura, **reflujo** al periodo de descenso y **bajamar** al momento en que el agua está en su nivel más bajo.

Las mareas son muy variables. Pueden ser muy intensas, cuando la Luna y el Sol se alinean y suman su fuerza de atracción, o más débiles, cuando están en situación opuesta y se contrarrestan. También es posible que el ciclo varíe: hay zonas en que se producen dos veces al día (Atlántico Norte) y otras en que sólo hay un ciclo diario (mar de la China).

La amplitud asimismo es muy distinta: puede ser de apenas 40 cm en algunas zonas del Mediterráneo y de más de 15 m en la costa francesa, en Mont Saint-Michel. En algunas costas muy llanas, la invasión del mar llega a producirse a más de 16 km por hora.

Llamamos **hidrosfera** al conjunto de todas las aguas que cubren el planeta Tierra. Incluye tanto las aguas marinas como las continentales.

8.1. Las aguas marinas

Los océanos y los mares cubren el 71 por 100 de la superficie terrestre. Desde el espacio, determinan el intenso color azul con el que se presenta el planeta.

Las aguas marinas son saladas. Por término medio, contienen 36 g de sal por litro, lo que significa un 36 por 1.000. El grado de **salinidad,** no obstante, varía mucho. Es mayor en los mares cerrados y en las regiones cálidas, porque la evaporación es más intensa y produce una mayor concentración de sales.

La **temperatura** también es muy variable. Tiene que ver con la latitud: los mares son cálidos cerca del Ecuador y fríos en las zonas polares. También tiene relación con el clima, la dirección de los vientos y las corrientes marinas. Por otro lado, los océanos y mares actúan como reguladores de temperatura: refrescan las costas en las zonas cálidas y suben la temperatura en las costas de las zonas frías.

8.2. Olas y corrientes marinas

Océanos y mares están en continuo movimiento a causa de dos agentes:

- Las **olas** se producen al mover el viento la superficie del agua. En la superficie parecen ondulaciones, pero en realidad las olas realizan un movimiento circular, tocando los fondos según se acercan a la costa, lo que provoca que rompan.

  Cuando el viento es muy fuerte, produce oleajes violentos y marejadas, alcanzando a veces las olas hasta 10 y 15 m de altura. Las olas erosionan las costas, deshacen las rocas y las convierten en arena.

- Las **corrientes marinas** son flujos constantes de agua, que actúan como si fueran ríos dentro del mar. Se deben a los vientos, a las diferencias bruscas de temperatura y a los efectos físicos del movimiento de rotación. Pueden ser frías o cálidas, e influyen mucho en el clima de las costas que bañan.

Corrientes marinas.

Corrientes frías
Corrientes calientes

8.3. Océanos y mares

Los **océanos** son grandes masas de agua que separan los continentes. En su conjunto alcanzan unos 4 km de profundidad media. Hay cinco grandes océanos:

- El **océano Glaciar Ártico** rodea el Polo Norte y sus aguas bañan las costas del norte de Eurasia y de América.
- El **océano Glaciar Antártico** está situado en el Polo Sur y sus aguas bañan las costas de la Antártida.
- El **océano Atlántico** se extiende de norte a sur y baña las costas occidentales de Europa y África y las del este de América.
- El **océano Pacífico,** el mayor de todos, también se extiende de norte a sur y separa las costas occidentales de América y las de Asia y Oceanía.
- El **océano Índico** cubre la extensión situada al sur de Asia, entre el África oriental y Oceanía.

Llamamos **mares** a extensiones más pequeñas de agua salada y de menor profundidad, en general inferior a 200 m. Entre los más importantes por su extensión están el mar Negro, el mar Caspio (ambos entre Asia y Europa), el mar Báltico, el mar Rojo, el mar de Bering o el mar Mediterráneo.

También aplicamos el término de mares para designar a aquellas porciones del océano que se distinguen por su escasa profundidad relativa o por sus límites muy definidos. Es el caso, por ejemplo, del mar Caribe, del mar del Norte, del mar Cantábrico, del mar de Japón o del mar de la China.

ACTIVIDADES

12 Indica de qué océanos o mares se trata.

a) Baña las costas de África occidental, del este de América y de Europa occidental.

b) Baña las costas del sur de Asia, África oriental y Oceanía.

c) Baña las costas del sur de Europa, del norte de África y de Asia Menor.

13 ¿Qué continentes baña el océano Glaciar Ártico?

14 ¿Qué aguas crees que son más saladas, las del mar Rojo o las del mar del Norte? Razona tu respuesta.

15 Explica cómo se forman las olas.

16 Señala las diferencias entre corriente marina y marea.

Los océanos Atlántico, Índico y Pacífico, con sus respectivos mares (km^2). Al observarlos con su forma propia, al margen de los continentes, presentan un aspecto casi desconocido para nosotros.

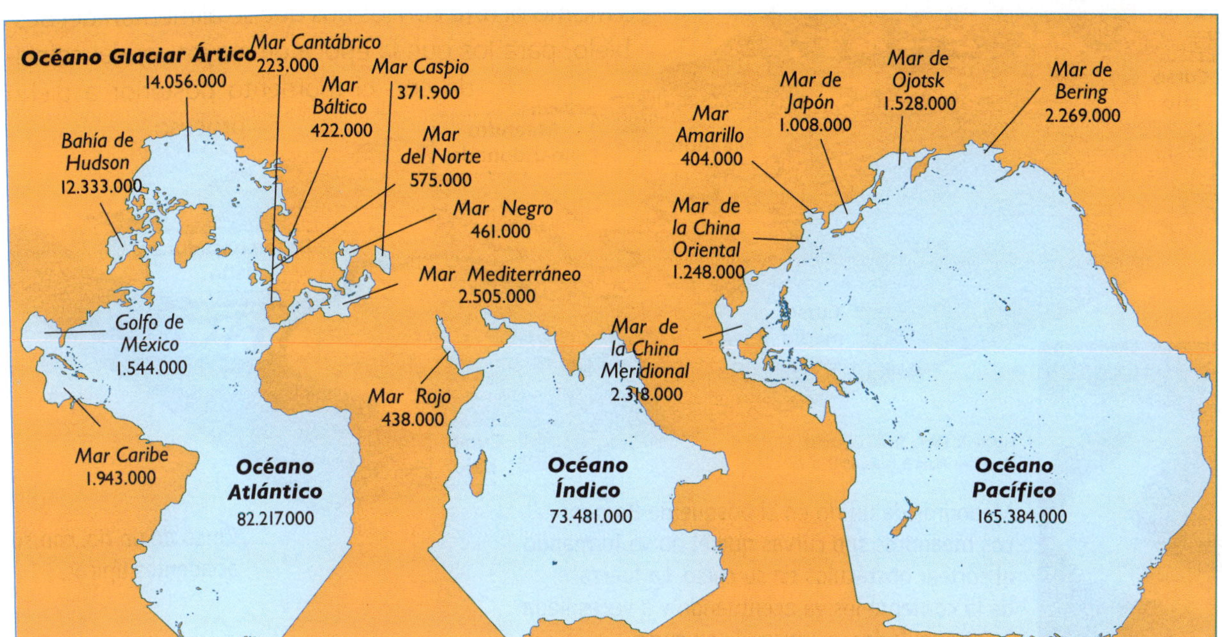

9 LAS AGUAS CONTINENTALES: RÍOS, LAGOS, AGUAS SUBTERRÁNEAS Y GLACIARES

¿SABÍAS QUE...?

Los ríos más caudalosos del planeta están situados en las zonas ecuatoriales, donde las precipitaciones son muy intensas: es el caso del **Amazonas,** del **Congo** o de los grandes ríos hindúes (el **Indo** y el **Ganges**). Esto mismo ocurre con el **Nilo,** que también se alimenta de las lluvias tropicales, aunque en su larguísimo recorrido acabe por verter aguas al Mediterráneo.

Otros ríos de gran tamaño y recorrido son:

- El Misisipi, el Misuri y el río Grande, en América del Norte.
- El Orinoco y el río de la Plata, además del Amazonas, en América del Sur.
- Los ya citados Congo y Nilo, además del Níger y el Zambeze, en África.
- El Yangtsé, el Mekong, el Amu Daria, el Ganges y el Indo, en Asia, así como los ríos que vierten al océano Glaciar Ártico, como el Obi, el Yeniséi y el Lena.
- En Europa, los más importantes son el Danubio, el Rin, el Oder, el Elba, el Ródano, el Po, el Dniéper, el Dniéster, el Don y el Volga.

Las **aguas continentales** están constituidas por los ríos, los lagos, las aguas subterráneas y los glaciares.

9.1. Los ríos

Los **ríos** son corrientes continuas de agua. Se alimentan tanto del agua de lluvia como de la procedente del deshielo de las nieves, pero también de aguas subterráneas que emergen del subsuelo.

Llamamos **curso** de un río al recorrido que realiza y **cuenca** a la región de la que procede el agua que lleva. La cantidad de agua que arrastra es el **caudal.** Los ríos pueden desembocar en el mar o en lagos interiores; cuando lo hacen en otro río denominamos al primero **afluente.**

El curso de un río se puede dividir en tres partes:

- El curso alto, que incluye la **cabecera** o **nacimiento,** suele situarse en zonas de montaña, con pendientes pronunciadas, torrentes y cascadas.
- El curso medio, donde la pendiente se suaviza y el valle del río se amplía.
- El curso bajo, en el que los aportes de agua aumentan progresivamente hasta la **desembocadura,** que puede ser directa **(estuario)** o abrirse en una zona amplia, ramificándose en varias corrientes **(delta).**

Los caudales de los ríos pueden variar mucho a lo largo del año. Llamamos **régimen** a la evolución del caudal de un río y sus características a lo largo del año. Los ríos de zonas muy lluviosas suelen tener un régimen regular, con momentos de mayor caudal en épocas de lluvias. Por el contrario, los ríos de zonas templadas, con lluvias más esporádicas, tienen cambios de caudal importantes.

Lo mismo ocurre con los ríos que se alimentan del deshielo, para los que la época de mayor caudal coincide con el momento posterior a dicho proceso.

Curso de un río, con sus accidentes típicos.

Fuente: N. Myers, *Selvas tropicales*, Barcelona, Plaza & Janés, 1993, p. 25.

Meandros de un río en el bosque de Borneo. Los meandros son curvas que el río va formando al sortear obstáculos en su curso. La fuerza de la corriente los va acentuando y a veces llega a estrangularlos, rectificando su curso.

9.2. Los lagos

Los **lagos** son grandes extensiones de agua situadas en el interior de los continentes. En general, contienen agua dulce, aunque algunos son salados. Pueden alcanzar una extensión considerable, como ocurre con el lago Victoria en África, los grandes lagos siberianos (Baikal) o los que separan Canadá de Estados Unidos (Lago Superior, Michigan). En general son poco profundos, aunque hay excepciones: el lago Baikal alcanza los 1.700 m de profundidad y el Tanganica llega a los 1.400 m.

En algunas regiones se forman multitud de lagos, como ocurre en ciertas zonas de los Andes, en el Rift africano o en Finlandia.

En su mayoría reciben agua procedente de grandes ríos o son de origen glaciar, pero también podemos encontrar lagos de origen tectónico si una falla en el terreno genera la cubeta que luego se rellena de agua. También los hay de origen volcánico, en los que el agua se ha acumulado en el cráter de un antiguo volcán. Cuando tienen una extensión pequeña, se denominan **lagunas.**

Capa de hielo perteneciente a un glaciar de la Antártida.

9.3. Las aguas subterráneas

Las aguas subterráneas proceden de las precipitaciones, que se van filtrando en el subsuelo, hasta acumularse en áreas completamente inundadas **(capa freática).** En algunas áreas forman masas de agua de enorme tamaño **(acuíferos),** que resultan vitales para garantizar el suministro para la población.

Las aguas subterráneas forman también corrientes, trazando su recorrido a través de las rocas, moldeándolas y dando lugar a cuevas, pozos y manantiales.

9.4. Los glaciares

Los glaciares son **grandes masas de hielo** que se depositan en zonas donde las nevadas son muy abundantes. Al acumularse, se convierten en hielo. Los glaciares cubren aproximadamente el 10 por 100 de la superficie terrestre y son esenciales para la regulación del nivel del mar y para el clima.

Existen dos tipos básicos de glaciares:

- Los **glaciares continentales,** o ***inlandsis,*** son grandes masas que cubren regiones enteras de las zonas frías. Los dos principales son el de la Antártida y el que cubre Groenlandia. Se mueven lentamente y vierten al mar enormes **icebergs.**
- Los **glaciares de montaña,** o **alpinos,** se forman en la alta montaña, en una cubeta llamada **circo,** y descienden lentamente hasta el valle, formando una **lengua glaciar.** A lo largo de su recorrido van excavando los laterales y el fondo **(morrenas)** y arrastran materiales, de forma que modifican el paisaje.

En la actualidad, **los glaciares están retrocediendo en todo el planeta,** lo que se considera uno de los principales síntomas del **calentamiento global.** Los científicos advierten del peligro de **una fuerte elevación del nivel del mar** a consecuencia de la fusión de los hielos de origen glaciar.

Glaciar del Aneto, en los Pirineos.

ACTIVIDADES

17 Define los siguientes conceptos: régimen, caudal, cuenca, estuario y delta.

18 Cita en tu cuaderno los ríos más caudalosos y los más largos del mundo.

10 EL RELIEVE OCEÁNICO: COSTAS Y FONDOS MARINOS

10.1. Las formas del relieve costero

Como ocurre en el continente, los movimientos de las placas y la acción de la erosión han dado lugar, a lo largo de la historia de la Tierra, a la aparición de formas de relieve en el fondo de los mares, así como a la configuración de las costas.

Las principales formas del relieve de las costas son las siguientes:

- **Costa:** zona de contacto entre las tierras emergidas y el agua de mares y océanos.
- **Península:** porción de tierra rodeada de agua por todas partes menos por un lado, por el que se une al continente.
- **Istmo:** fragmento de tierra que une una península con el resto del continente.
- **Cabo:** zona de la costa que se adentra en el mar.
- **Golfo:** entrante del mar en la línea de costa, generalmente de forma redondeada y cierto tamaño.
- **Bahía:** golfo de pequeño tamaño.
- **Estrecho:** brazo de mar que separa dos áreas de tierra, en general de poca anchura.
- **Ría:** entrante del mar en un valle fluvial.

Formas del relieve de las costas y de los fondos marinos.

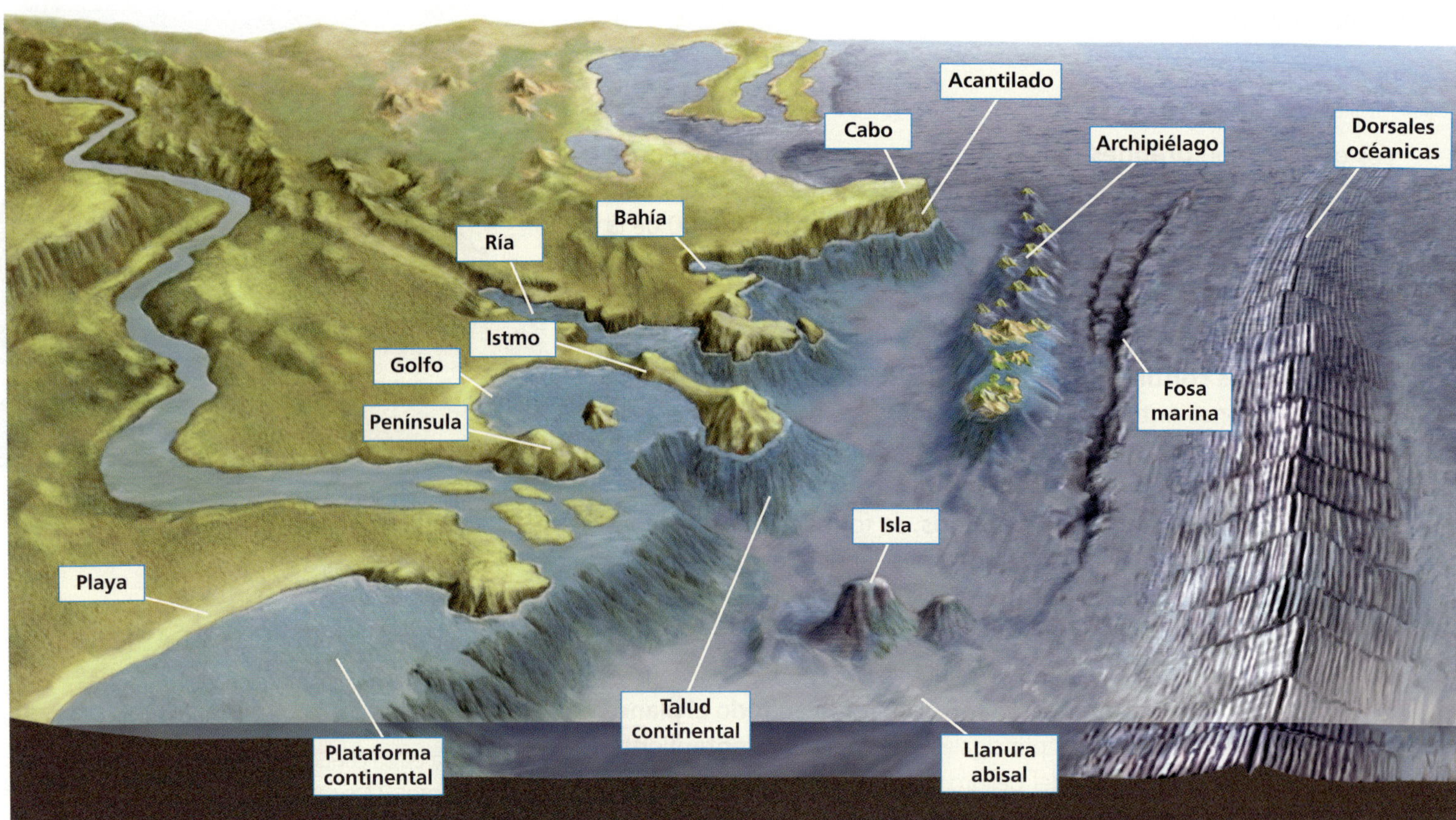

- **Fiordo:** golfo muy profundo, que se produce al entrar el mar en el valle de un glaciar.
- **Isla:** porción de tierra rodeada de agua por todas partes.
- **Archipiélago:** conjunto de islas próximas entre sí.
- **Playa:** zona de costa baja, generalmente arenosa o con materiales de pequeño grosor.
- **Acantilado:** zona de costa formada por paredes de roca, que ha sido tallada por el mar y que presenta un perfil muy escarpado.

10.2. El relieve de los fondos marinos

La exploración de los fondos marinos se limitó durante mucho tiempo a las zonas próximas a las costas. Hoy conocemos con bastante detalle la configuración general del relieve submarino, gracias a métodos como las ondas ultrasónicas o el envío de robots a grandes profundidades.

El relieve submarino es casi tan complejo como el continental. Podemos distinguir varias formas de relieve características:

- La **plataforma continental** es la zona más próxima al continente, del que es prolongación. Tiene forma de una gran meseta que alcanza unos 200 m de profundidad y su extensión es muy variable: en la costa africana es una estrecha franja en el perímetro de la mayor parte del continente, mientras que en la costa noroccidental de Europa o en el Sudeste asiático se extiende de forma considerable. La plataforma termina a menudo en una brusca pendiente, el **talud continental,** que conduce a las zonas más profundas.
- Las **dorsales oceánicas** son cordilleras que recorren los océanos y que coinciden con las áreas de contacto entre las placas. Pueden alcanzar los 3.000 m de altura en algunos puntos; se ha podido comprobar que las diferentes dorsales forman una serie continua, que alcanza los 60.000 km de longitud. En algunos puntos, las cumbres emergen formando islas, algunas de origen volcánico.
- Entre las plataformas y las dorsales se extiende la **llanura abisal,** formada por una serie de grandes cubetas, cuya profundidad supera los 3.000 m. En ellas existen, además, **fosas marinas,** bruscas entalladuras que se hunden en el fondo marino varios kilómetros. Las más profundas, por debajo de los 10.000 m, se encuentran en el Pacífico, alrededor de los archipiélagos de Oceanía: la fosa de las Marianas alcanza los 11.022 m.

La dorsal Atlántica es una gigantesca cordillera subterránea, que recorre el océano de norte a sur.

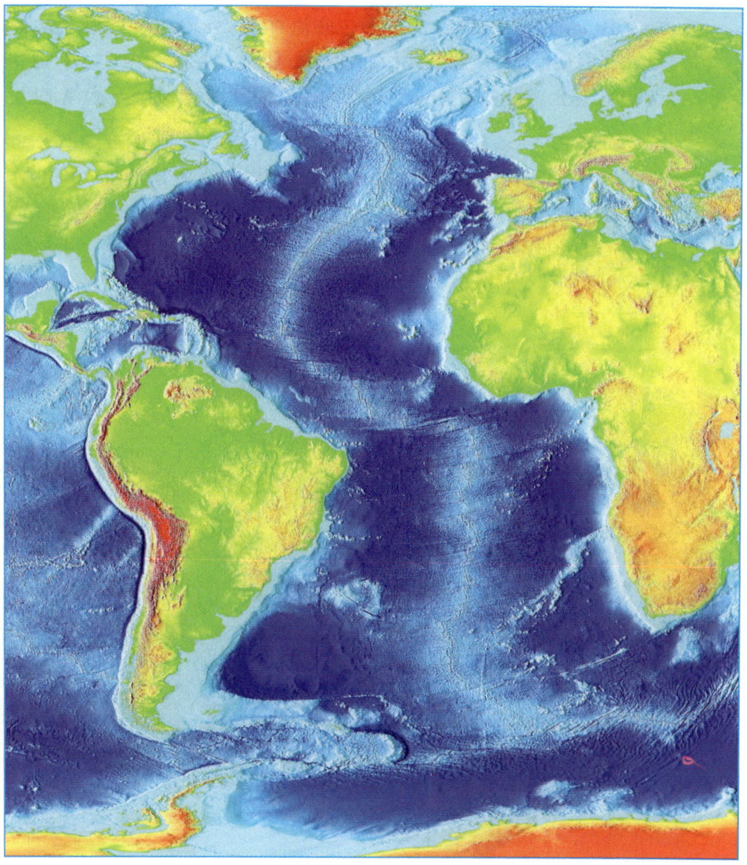

ACTIVIDADES

19 Explica las diferencias entre ría y fiordo, así como entre golfo y bahía.

APÉNDICE

11 TERREMOTOS Y VOLCANES

Los movimientos de las placas provocan contactos y roces, cuyos efectos se trasladan a la superficie y generan los terremotos y los volcanes.

Los terremotos

Son movimientos generados por el contacto entre las placas en profundidad y transmitidos a la superficie. Se están produciendo constantemente y en su mayoría son tan leves que sólo los detectan los **sismógrafos,** sin que afecten a la vida cotidiana. Sin embargo, de vez en cuando se produce un temblor mucho más potente, que trae consigo efectos catastróficos.

El lugar donde se produce el choque, situado a gran profundidad, se llama **hipocentro.** A partir de él, la vibración se expande en forma de **ondas sísmicas,** que llegan a la superficie. El **epicentro** es el punto de la superficie terrestre más próximo al hipocentro, y es el **lugar en el que el seísmo es más fuerte.**

La magnitud y los efectos de los terremotos se miden mediante varias escalas, de las que la más conocida es la **escala de Richter,** que los clasifica de 0 a 9 según la amplitud de las ondas que detecta el sismógrafo y los efectos que produce.

Cuando los terremotos se producen en el mar se denominan **maremotos** y generan en superficie un movimiento brusco de las aguas. Éste se transforma en olas de gran tamaño **(tsunami),** que a veces arrasan las costas y generan grandes catástrofes, como la que ocurrió en el océano Índico en 2004, uno de los maremotos más devastadores de la historia.

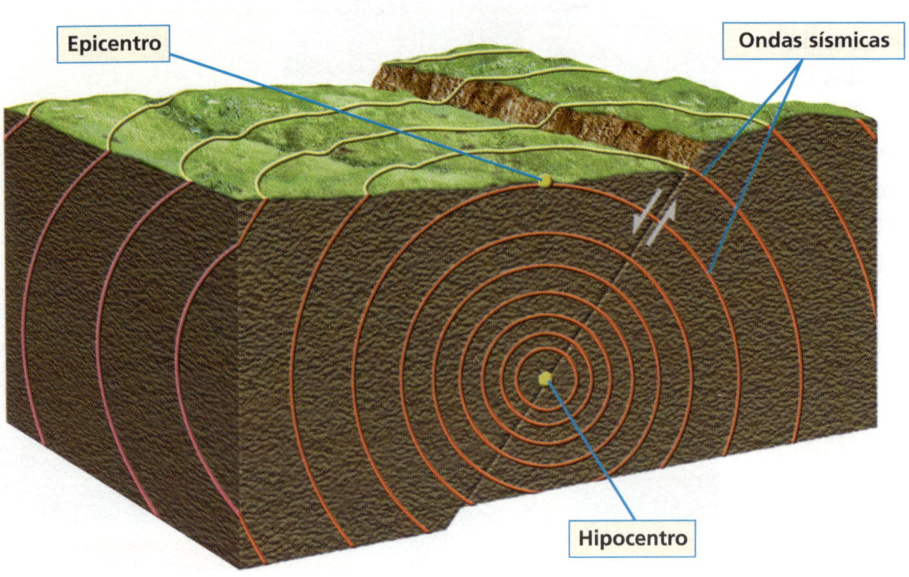

Los volcanes

El fenómeno de los volcanes está asociado a las zonas de contacto entre las placas, por eso coincide también con las líneas de las dorsales oceánicas y con las zonas sísmicas. Un volcán se forma en el punto en el que los materiales del interior de la corteza terrestre afluyen a la superficie.

Generalmente, los volcanes tienen forma de **cono** debido a la progresiva acumulación de los materiales expulsados. En el interior, la **chimenea** es el conducto profundo por el que afluyen las rocas fundidas y gases que forman el **magma.** En la parte superior del volcán se sitúa el **cráter,** una amplia zona rehundida que puede alcanzar varios kilómetros de diámetro. Un volcán puede tener uno o varios cráteres, además de múltiples grietas por las que salen despedidos los materiales al exterior.

Llamamos **erupción** al proceso de expulsión de materiales del interior de un volcán. Esos materiales pueden ser gases, que forman grandes nubes y que pueden descender, según sus características, por las laderas del volcán. En ocasiones han producido grandes catástrofes, como en la erupción del Monte Pelado, en la Martinica, que costó la vida a 30.000 personas en 1902.

Los volcanes también pueden expulsar rocas en estado incandescente, **lava,** que generalmente desciende en grandes **coladas** que se enfrían y solidifican, con lo que contribuyen a formar el cono volcánico. Las **cenizas volcánicas** son fragmentos de lava proyectados, a veces a grandes distancias.

Existen diferentes **tipos de volcanes.** Los hay silenciosos, como los hawaianos, que emiten de forma constante y regular una lava muy fluida, que se enfría a larga distancia. También existen volcanes explosivos, cuyas erupciones son esporádicas, pero muy peligrosas, como ocurrió con el Vesubio, cerca de Nápoles, cuya erupción en el 79 d.C. sepultó la ciudad romana de Pompeya. Existen, además, tipos intermedios, que producen relieves muy singulares.

La **actividad de los volcanes** es variable. Pueden estar **extinguidos,** y a veces sólo distinguimos que hubo un volcán por el relieve que produjo en su día: es lo que ocurre con muchas islas. Pueden estar en **estado latente,** sin síntomas de actividad importante, pero con posibilidad de entrar en erupción en cualquier momento. Por último, hay volcanes que **permanecen en actividad** de forma constante, expulsando gases y lavas, si bien su actividad no siempre reviste un aspecto espectacular.

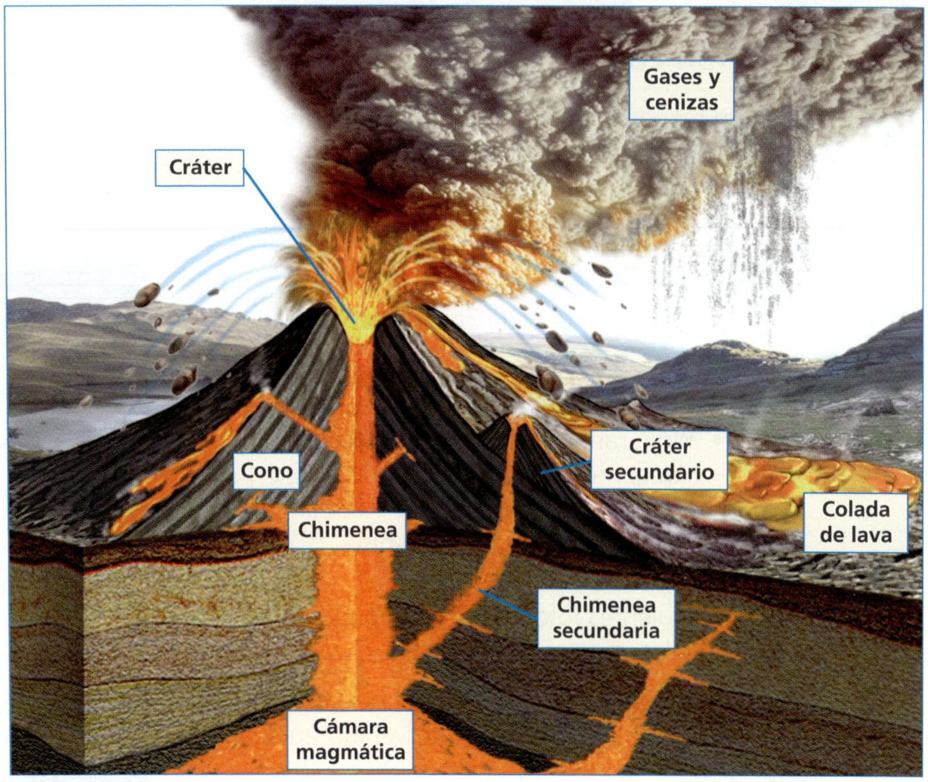

Diferentes partes de un volcán.

Actividades

1 Copia la siguiente tabla en tu cuaderno. A partir de la fecha que te proporcionamos, busca información e indica en ella la magnitud en la escala de Richter, el lugar y el continente en el que tuvieron lugar estos cuatro grandes terremotos del siglo XXI.

Fecha	Escala de Richter	Lugar	Continente
26 de diciembre de 2003			
26 de diciembre de 2004			
8 de octubre de 2005			
12 de mayo de 2008			

2 Completa la siguiente relación de volcanes en tu cuaderno e indica su altura, el país y continente en el que se encuentra, así como si está activo.

Volcán	Altura (metros)	País	Continente	Última erupción
Krakatoa				
Vesubio				
Teide				
Popocatepetl				
Mauna Loa				

3 Entra en la web <centros3.pntic.mec.es> después de teclear «volcanes» en tu buscador:

- Nombra los tipos de volcanes que aparecen en ella.
- Elige uno, el que tú quieras, y después de dibujarlo en tu cuaderno, descríbelo.

4 El 25 de noviembre de 1864, el escritor francés Julio Verne publicaba *Viaje al centro de la Tierra.* En la novela, un científico, su sobrino y un guía penetran en el cráter de un volcán apagado y logran, después de muchas aventuras, alcanzar el centro de la Tierra. ¿Crees que es posible? Razona tu respuesta.

PRACTICA COMPETENCIAS

Competencia en el conocimiento y la interacción con el mundo físico

1 Sitúa en un mapamundi mudo todos los continentes, océanos y mares que aparecen en el texto de la unidad.

2 Sitúa en dicho mapa mudo las unidades de relieve que se mencionan en el texto.

3 En los mapas mudos de cada continente localiza los siguientes ríos:

Misisipi • Orinoco • Nilo • Misuri
Volga • Río Grande • Danubio • Yangtsé
Ródano • Amazonas • Zambeze • Mekong
Ganges • Río de la Plata • Rin • Obi
Lena • Elba • Dniéper • Yeniséi

4 Observa las siguientes fotografías y responde, para cada una de ellas, a estas cuestiones:

- Identifica la forma de relieve y defínela.
- Di qué tipo de agentes han intervenido en su formación.

a)

b)

c)

d)

Competencia matemática

5 Elabora un gráfico de barras con los datos de las superficies de los continentes que aparecen en las páginas 30 y 31 de la unidad.

6 Calcula, aproximadamente, la distancia que existe entre la cima del Everest y el centro de la Tierra.

7 Si los océanos y los mares ocupan el 71 por 100 de la superficie terrestre, ¿qué porcentaje ocupan las masas de tierra?

Tratamiento de la información y competencia digital

8 Desde la página <www.astromia.com> abre el enlace Tierra \ La corteza terrestre y contesta: ¿a qué se debe el movimiento de desplazamiento de las placas que sustentan los continentes?

9 A partir de la información que puedas conseguir, elabora una relación de las ventajas e inconvenientes que pueden derivarse del empleo de plantas desaladoras para convertir el agua de océanos y mares en agua potable. Inicia un debate con tus compañeros, sin olvidar que todas tus opiniones deben estar razonadas.

Competencia para aprender a aprender

10 Escribe en tu cuaderno qué concepto corresponde a cada definición:

a) Capa exterior de la Tierra compuesta por todas las aguas: ....

b) Capa exterior de la Tierra formada por gases y partículas en suspensión: ....

c) Zona de la Tierra en la que se desarrolla la vida: ....

11 Responde a las siguientes cuestiones sobre Europa:

a) ¿Qué forma de relieve es la que ocupa la mayor extensión en Europa?

b) ¿Cuáles son las cinco cordilleras más importantes?

c) ¿Cuáles son los ríos más largos?

d) ¿Cuáles son las penínsulas del sur del continente europeo?

12 Realiza un dibujo de un corte de la Tierra y señala en él las capas internas y externas del planeta.

13 Realiza un croquis con las diferentes formas de relieve costero.

14 Dibuja un croquis del curso de un río y señala en él las distintas partes en que se divide.

15 Identifica en esta imagen la parte de un río a la que corresponde.

16 El mesosaurio fue un reptil que vivió hace unos 260 millones de años en áreas húmedas de Sudamérica y de África. Observa el mapa y explica por qué el mesosaurio vivió en ambos continentes. Explica la razón de la separación de ambas masas continentales.

PÁGINAS WEB

Las siguientes páginas web te pueden ayudar en el estudio de esta unidad:

- Atlas geográfico interactivo:

  http://www.aularagon.org/files/espa/Atlas/

- Juegos didácticos para aprender geografía:

  http://www.xtec.net/~ealonso/flash/mapasflash.htm

- Página web con mapas sobre el origen y formación de la Tierra (océanos y continentes). Contiene animaciones sobre los distintos procesos geomorfológicos:

  http://www.scotese.com/earth.htm

- Volcán Mundial: página web sobre los volcanes con mapas, una función de búsqueda para encontrar volcanes en todo el mundo por el nombre o la ubicación, simulaciones de erupción, rompecabezas interactivos y juegos, excursiones virtuales, e información detallada sobre los volcanes del mundo:

  http://volcano.oregonstate.edu/

- Websismo: página web sobre los terremotos y sus efectos:

  http://www.websismo.csic.es/websismo.html

La atmósfera y el medio climático

«Milenio tras milenio, millones de años tras millones de años, el clima ha moldeado sin cesar la faz de la Tierra. Su historia y la de la vida son inseparables. Como un hada bienhechora, el clima se ha inclinado sobre la cuna del hombre, a quien ha ofrecido las condiciones favorables para su nacimiento y desarrollo. [...] Pero hoy, en un giro total de la historia, es el hombre el que, gracias a su dimensión planetaria, está en condiciones de influir en el clima del futuro. En este momento crucial y de tan difícil predicción cuantitativa, la ciencia vacila y se siente poco segura de sí misma. Antes que la técnica, será sin duda la ética la que deberá indicarnos el camino.»

Robert SADOURNY,
El clima de la Tierra, Madrid, Debate, 1994.

- ¿Qué es la atmósfera? ¿Qué capas la forman?
- ¿Qué función tiene para los seres vivos?
- ¿En qué zonas climáticas se divide la Tierra?
- ¿Qué son los huracanes?

3

Hasta comienzos del siglo XX, la atmósfera terrestre era una gran desconocida. Los conocimientos se limitaban a las capas inferiores y a la observación práctica de los fenómenos atmosféricos. Hoy, los globos sonda, los satélites y otros medios de medición y exploración permiten conocer con precisión la composición y características de cada nivel, hasta el límite exterior del planeta. En la imagen, un huracán sobre el planeta Tierra.

Capas de la atmósfera y sus características.

1.1. Composición de la atmósfera

La **atmósfera** es la capa de aire que envuelve la Tierra y a la que está unida por la fuerza de la gravedad. Está formada por un conjunto de gases con partículas sólidas en suspensión. Alcanza unos 2.000 km de altura, aunque no tiene un límite definido.

La atmósfera está formada, a su vez, por **varias capas,** cada vez menos densas conforme se asciende:

- La **troposfera** es la más próxima y la más importante para la vida en la Tierra. Alcanza los 13 km de altura media; el aire que contiene está compuesto de un 71 por 100 de nitrógeno y un 28 por 100 de oxígeno, además de pequeñas cantidades de otros gases químicos. Incluye también la mayor parte del vapor de agua de la atmósfera y es en ella donde se desarrollan los fenómenos meteorológicos.
- La **estratosfera** está situada por encima de la troposfera. En ella se sitúa la **capa de ozono,** que, al filtrar los rayos solares, permite la vida en la Tierra.
- La **termosfera** o **ionosfera,** entre los 80 y los 600 km de altura, se caracteriza porque contiene partículas cargadas eléctricamente.
- La **exosfera** es la zona de transición al espacio exterior. Se extiende a través de cientos de kilómetros, hasta desaparecer todo rastro de los gases que componen la atmósfera.

1.2. Los fenómenos atmosféricos. Tiempo y clima

Llamamos **fenómenos atmosféricos** a los diferentes estados que pueden manifestarse en la atmósfera. Esos estados son el resultado de los cambios que se producen en las características físicas del aire y dan lugar a las variaciones en el tiempo meteorológico.

Con frecuencia, al observar cómo llueve, sopla el viento o hace sol utilizamos de forma incorrecta los términos «tiempo» y «clima» al referirnos a estos fenómenos:

- **Tiempo atmosférico** es el conjunto de características que presenta la atmósfera en un momento y en un lugar determinado. Así, describimos el tiempo que hace hoy o que va a hacer mañana, tal como hacen los meteorólogos que pronostican el estado de la atmósfera para el día siguiente en los medios de comunicación.

- **Clima,** por el contrario, es el conjunto de las características que presenta la atmósfera en un lugar, pero a lo largo del año y de forma habitual. El clima viene determinado por el comportamiento de las temperaturas y las precipitaciones, así como de los vientos y zonas de altas y bajas presiones dominantes, a lo largo de las estaciones.

Un clima es definido por los fenómenos que se repiten en la mayor parte de los años a lo largo de un periodo de tiempo prolongado. Por tanto, puede ser que, en una zona habitualmente seca, haya un año especialmente lluvioso, sin que eso modifique el clima dominante.

Imagen del satélite *Meteosat* utilizada por la Agencia Estatal de Meteorología para apreciar la situación de la atmósfera sobre la Península.

1.3. Elementos y factores del clima

Los climas son el resultado de una combinación de varios elementos. Llamamos **elementos del clima** a las características que presenta el aire de la atmósfera y que determinan el clima de una zona. Son tres: la **temperatura,** la **humedad** y la **presión del aire.**

Otros **factores** que producen variaciones dentro de una misma zona climática son la **proximidad o distancia respecto al mar,** la mayor o menor **altitud** y la **latitud.**

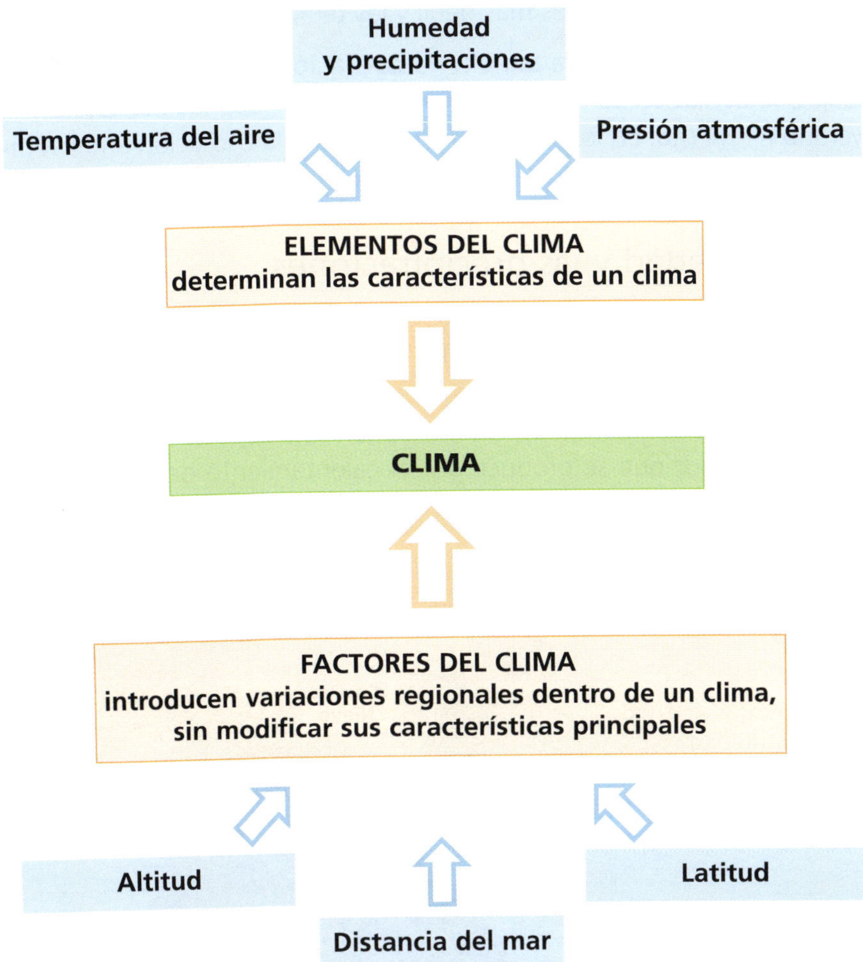

Los elementos y factores del clima.

Actividades

1 Si fueras un astronauta y estuvieras regresando de la Luna, ¿qué capas de la atmósfera encontrarías en tu camino? Indica las principales características de cada una de ellas.

2 Señala en tu cuaderno cuál de estas frases es la correcta e indica por qué:

a) Cada vez los inviernos son más cortos. Ello se debe a que el clima está cambiando.

b) Cada vez los inviernos son más cortos. Ello se debe a que el tiempo está cambiando.

2 La temperatura, la humedad y las precipitaciones

Conceptos

- **Escarcha:** capa de hielo que se forma por la noche sobre las superficies expuestas a la intemperie cuando se congela el vapor de agua de la atmósfera.
- **Rocío:** vapor que por la noche se condensa en la atmósfera en forma de gotitas de agua.

2.1. La temperatura

La **temperatura** es el grado de calor que tiene el aire.

La temperatura se mide con el **termómetro** y, para hacerlo, se utilizan varias escalas. La que usamos en los países latinos es la **escala de Celsius** (o **centígrada**). Se representa con el signo **°C** a continuación del número de grados.

La **temperatura del aire** está en **constante variación.** Muchos de esos cambios van asociados a los fenómenos meteorológicos. Sin embargo, la temperatura también cambia a causa de los factores del clima:

- La troposfera se calienta desde abajo. Con la altitud, la temperatura disminuye a razón de unos 6,4 °C cada kilómetro.
- El mar es un moderador de la temperatura. En las costas, la oscilación entre temperatura diurna y nocturna y entre las de las estaciones es más reducida. En el interior de los continentes, aumenta la diferencia entre día y noche, así como entre verano e invierno.
- La latitud también varía la temperatura. Cuanto más nos acercamos al Ecuador las temperaturas son más altas, porque allí la radiación solar es más intensa durante todo el año. Por el contrario, cerca de los Polos los rayos caen de forma oblicua, la energía que recibe la superficie es más débil y las temperaturas son más bajas.

La proximidad al Ecuador altera también la **oscilación térmica anual.** En latitudes bajas, la oscilación es más corta y en el Ecuador apenas hay diferencia entre verano e invierno. En los Polos, por el contrario, la oscilación entre verano e invierno es muy elevada.

Las tres grandes zonas climáticas de la Tierra. Puede observarse cómo la temperatura está en relación directa con la inclinación mayor o menor de los rayos solares.

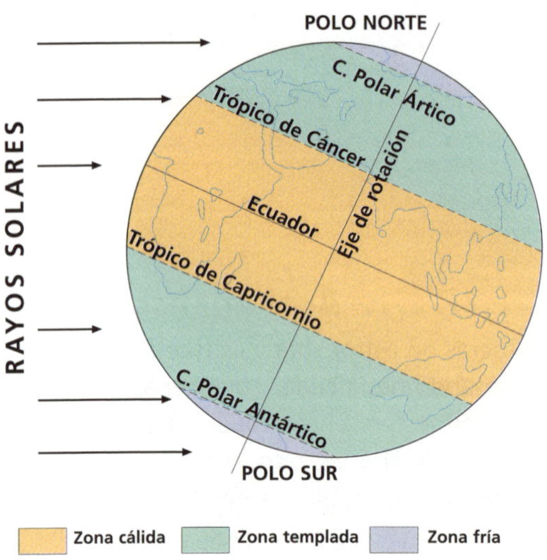

2.2. La humedad y las precipitaciones

La **humedad** es la cantidad de vapor que contiene el aire.

Los gases que se forman en la atmósfera tienen una capacidad determinada para absorber el vapor que se produce por el calentamiento de la superficie terrestre. Si se rebasa esa cantidad, el aire se satura y el vapor se condensa. Esa ca-

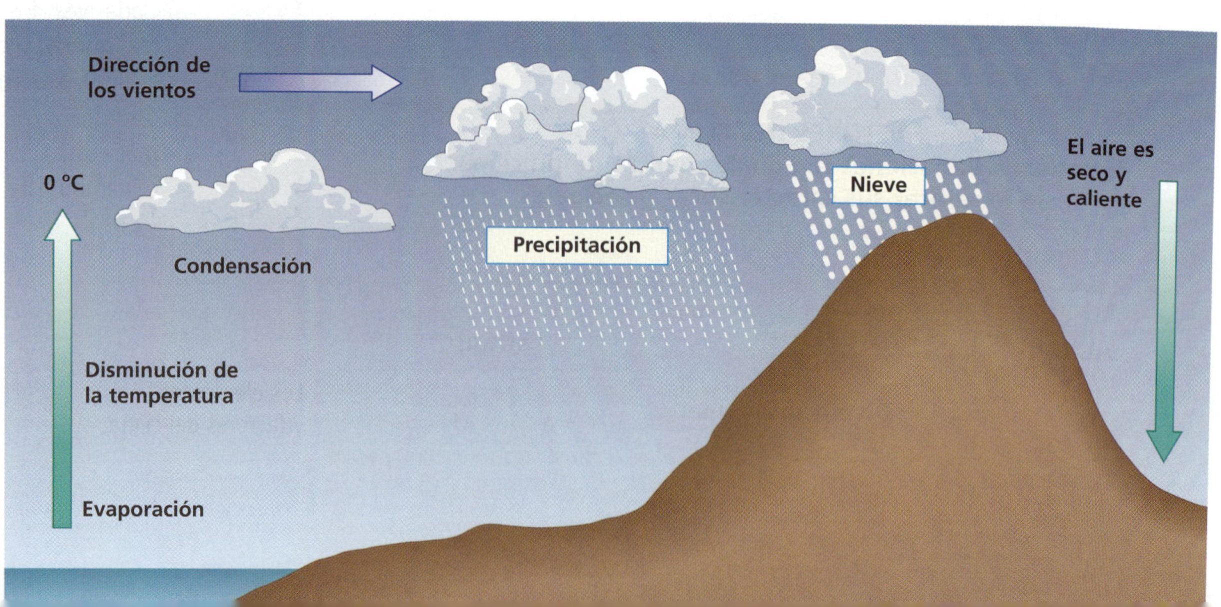

Formación de las nubes. El aire húmedo, procedente del mar, se eleva al llegar al continente y suele condensarse en altura al remontar zonas montañosas. En el interior, por el contrario, llueve menos, porque el aire llega más frío y seco.

pacidad varía según la temperatura: el aire cálido puede absorber más humedad, mientras que el aire frío se satura con menos vapor.

La humedad se mide con el **higrómetro** y se expresa de dos maneras:

- **Humedad absoluta:** indica la cantidad de vapor que existe por unidad de volumen de aire.
- **Humedad relativa:** refleja el porcentaje de humedad que contiene el aire sobre el total de saturación. Ese total varía según la temperatura.

Las **precipitaciones** son fenómenos atmosféricos que consisten en la caída de agua sobre la superficie de la Tierra.

Dichas precipitaciones pueden adoptar **tres formas: lluvia** (la más corriente), **nieve** o **granizo.** Se miden con el **pluviómetro,** una cubeta graduada que indica los milímetros que acumula el agua caída sobre un metro cúbico.

Los **factores del clima** también influyen en las precipitaciones:

- La proximidad al mar favorece las precipitaciones, mientras que en el interior llueve menos.
- La altitud también favorece las precipitaciones, que, en alta montaña, suelen caer en forma de nieve.
- En cuanto a la latitud, llueve más a medida que nos aproximamos al Ecuador, porque la intensidad del calor favorece la evaporación y la formación de nubes.

¿Sabías que...?

La formación de las precipitaciones

El ciclo comienza con la evaporación de agua, tanto en el mar como en la superficie, a causa del calor que recibe el planeta. A continuación, el aire asciende, arrastrando el vapor hacia arriba. En zonas altas, el aire se enfría, lo que produce la saturación. Además, el aire contiene partículas sólidas, sobre todo cristales de sal, que actúan como núcleos de condensación y que permiten la formación de las gotas; éstas se acumulan por atracción.

La **lluvia** se produce cuando el peso de las gotas provoca la caída del agua en estado líquido. La **nieve** cae cuando existe una masa de aire muy frío entre las nubes y la superficie, lo que provoca que las gotas caigan en proceso de solidificación. Por último, el **granizo** se produce en nubes de gran desarrollo vertical, cuando entran en contacto con masas de aire muy frío a gran altura, lo cual produce la congelación de parte de la nube y su caída en forma sólida.

Actividades

3 ¿Dónde hace más calor, en el Ecuador o en los Polos? Explica por qué.

4 Sabiendo que en un lugar el mes más frío de un año fue enero, con una temperatura media de 9,51 °C, y el más cálido agosto, con una temperatura media de 31,81 °C, ¿cuál fue la oscilación térmica de ese año?

5 Explica cómo se producen la lluvia, la nieve y el granizo.

6 Explica la diferencia entre escarcha y rocío.

7 ¿Qué significa el refrán «año de nieves, año de bienes»?

Los diferentes tipos de nubes varían con la altura y las características de las corrientes de aire; su forma y color ayudan a los meteorólogos a predecir el tiempo.

El higrómetro del fraile era muy popular en la España de mediados del siglo XX. Consistía en un pelo que reaccionaba a los cambios de humedad encogiéndose o distendiéndose, moviendo así la mano y la capucha del fraile.

3 La presión atmosférica y los vientos

Los barómetros son instrumentos muy útiles para medir el estado de la atmósfera y realizar predicciones meteorológicas.

3.1. La presión atmosférica

La **presión atmosférica** es el peso que ejerce el aire sobre un punto determinado de la superficie terrestre.

La presión se mide mediante el **barómetro,** cuya unidad de medida es el **bar,** con su subdivisión, el **milibar.** El peso medio del aire de la atmósfera sobre la superficie terrestre es de 1.013 milibares.

Sin embargo, la presión cambia constantemente. Por una parte, debido a los cambios de temperatura, el aire caliente pesa menos que el aire frío. Por otra, la presión es menor en las zonas altas que a nivel del mar porque la columna de aire situada sobre áreas elevadas tiene menor altura.

3.2. Anticiclones y borrascas

El aire está en continuo movimiento y, en consecuencia, se forman constantemente áreas de altas y bajas presiones:

- Las **zonas de altas presiones,** también llamadas **anticiclones,** son fenómenos atmosféricos producidos por el descenso de aire frío y seco, lo que da lugar a un tiempo despejado y sin nubes.
- Las **zonas de bajas presiones** se denominan **borrascas** y son fenómenos producidos por el ascenso de aire caliente cargado de humedad, que forma nubes y produce precipitaciones.

Nosotros no notamos esas corrientes porque su fuerza es, en general, imperceptible para nuestros sentidos. Además, el aire no asciende o desciende directamente, sino de forma giratoria y en grandes distancias.

Conceptos

- **Isobara:** línea imaginaria que en los mapas del tiempo une puntos con la misma presión atmosférica.

Las borrascas y los anticiclones se cartografían como círculos concéntricos de isobaras*, indicándose con una B o con un signo – las borrascas, y con una A o un signo + los anticiclones. En el hemisferio norte los anticiclones giran en el sentido de las agujas del reloj y las borrascas al revés.

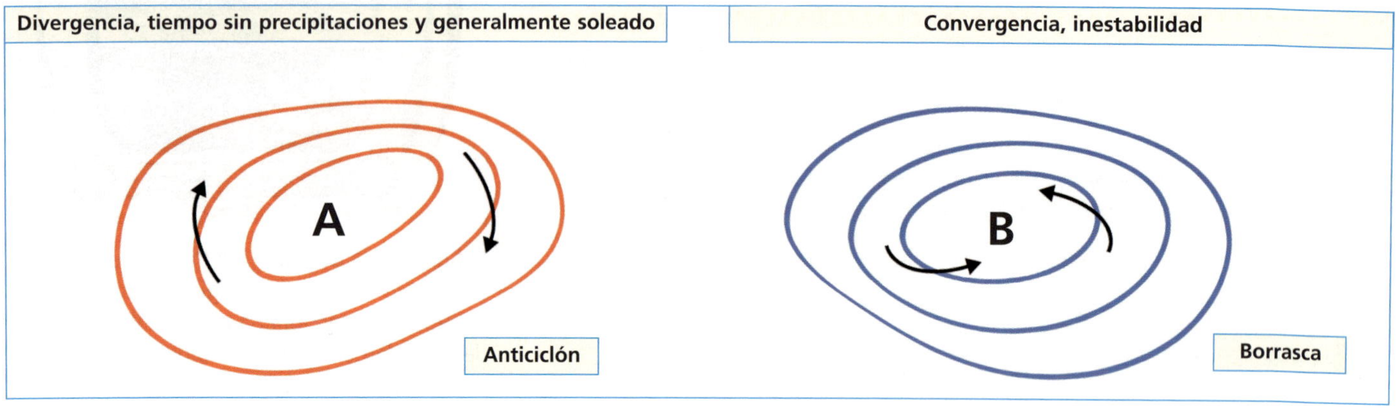

En los anticiclones, el aire desciende frío y no hay nubes. En las borrascas, el aire asciende cálido y húmedo, forma nubes y trae precipitaciones.

3.3. Los vientos y la circulación atmosférica

El **viento** es el aire en movimiento. Circula constantemente entre las zonas de altas y bajas presiones y su velocidad depende de la diferencia de presión entre dos puntos: cuanto mayor sea la diferencia, mayor será la velocidad.

En superficie, el aire circula desde los anticiclones a las borrascas. Dentro de una borrasca, las masas de aire van entrando y constituyen **frentes** de aire más frío o más cálido, según procedan de zonas situadas al norte o al sur.

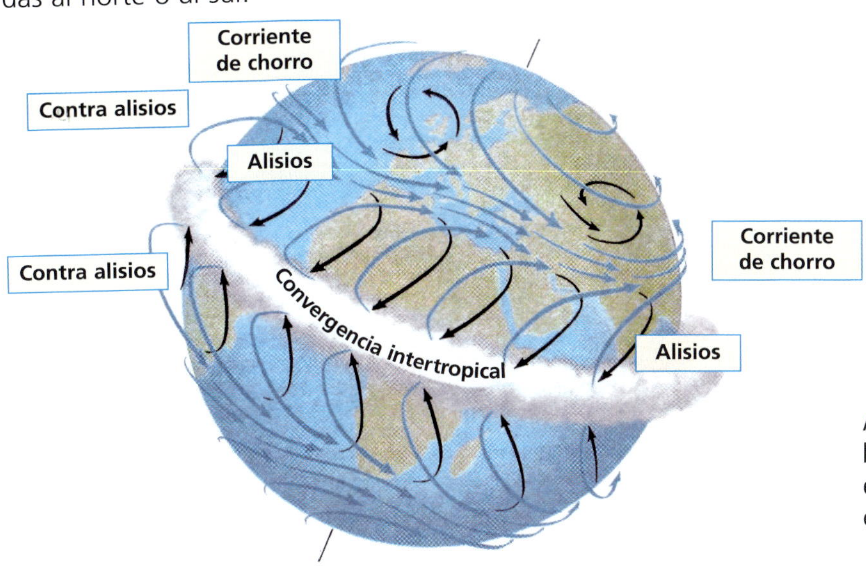

A lo largo de la superficie, hay zonas de borrascas y de anticiclones más o menos estables, lo que produce también vientos constantes entre ellos.

Actividades

8 Enumera los diferentes tipos de vientos.

¿Sabías que...?

Los vientos pueden clasificarse en diferentes tipos:

- **Periódicos,** como las brisas marinas, que circulan de día desde el mar hacia el continente y de noche al revés, debido a la diferente velocidad de calentamiento del mar y de la tierra.
- **Estacionales,** como los monzones del Sudeste asiático, que circulan desde el océano al interior en verano y desde la tierra hacia el mar en invierno.
- **Constantes,** que soplan de forma regular en distintas zonas del planeta.
- **Variables,** como los que se generan en las borrascas que afectan a nuestro país en otoño o primavera, dando lugar al tiempo cambiante habitual en esas estaciones.
- **Locales** o **regionales,** que son vientos característicos de una región. En España tenemos algunos, como el cierzo, la tramontana o el siroco.

4 Tipos de climas. Los climas cálidos

4.1. Los diferentes tipos de climas

Podemos dividir los climas de la Tierra en tres grandes grupos, definidos por las temperaturas dominantes:

- **Climas cálidos:** son los que se sitúan a ambos lados del Ecuador, entre los trópicos de Cáncer y Capricornio. Se caracterizan por tener temperaturas elevadas durante todo el año y son tres: clima **ecuatorial,** clima **tropical** y clima **desértico cálido.**
- **Climas templados:** se sitúan aproximadamente entre los trópicos y los círculos polares. Sus temperaturas son variables y se caracterizan por la existencia de estaciones muy diferenciadas. Son también tres: el clima **oceánico,** el **mediterráneo** y el **continental**.
- **Climas fríos:** comprenden un tipo zonal, el clima **polar,** que se localiza en las áreas situadas al norte del Círculo Polar Ártico y al sur del Círculo Polar Antártico, y otro tipo llamado clima **de alta montaña,** que se sitúa en áreas de alta montaña, en zonas aisladas en toda la superficie terrestre. En los dos casos predominan temperaturas muy frías todo el año, aunque con mayor intensidad en los meses de invierno.

Principales tipos de climas de la Tierra.

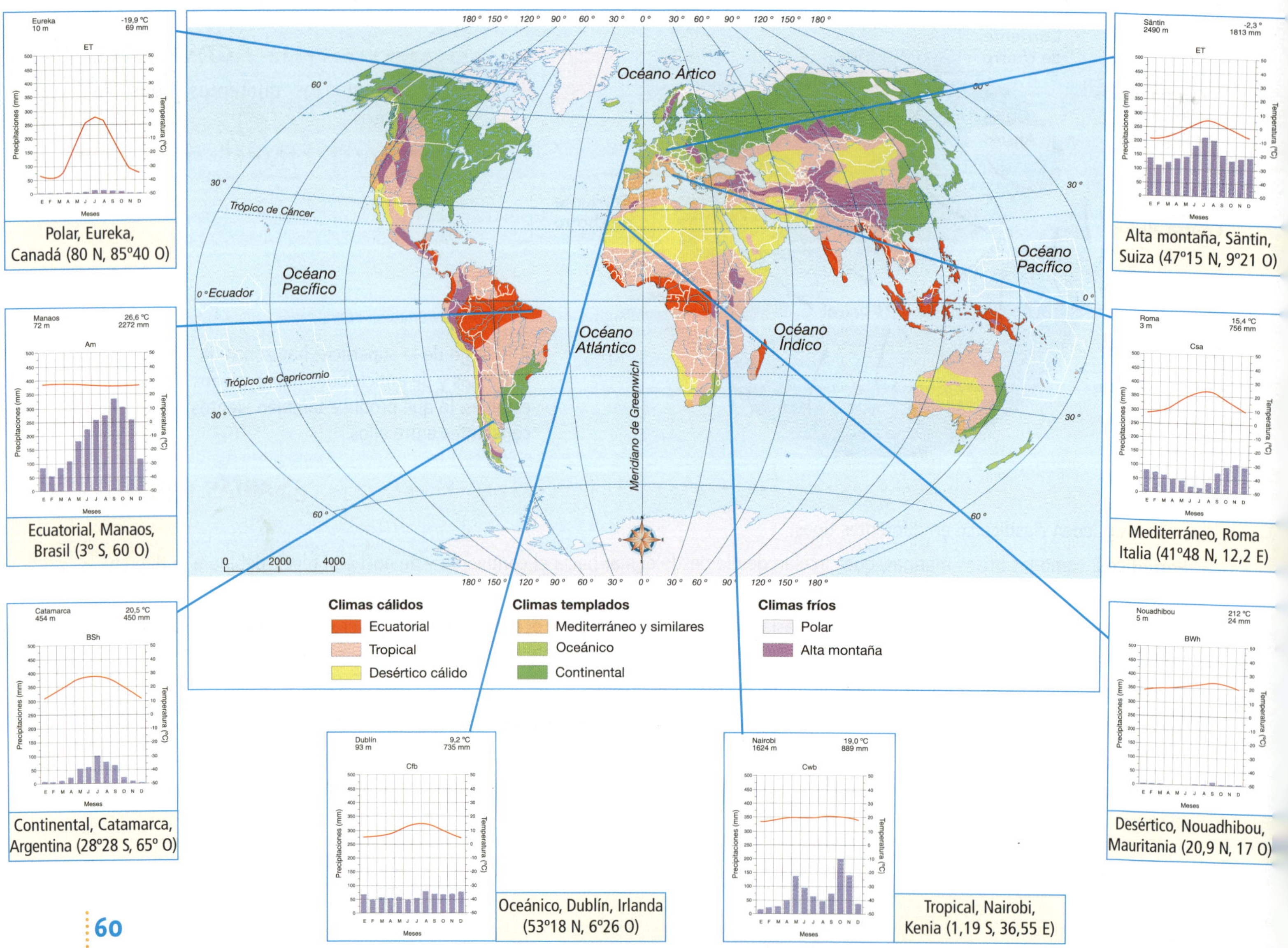

4.2. Los climas cálidos

4.2.1. El clima ecuatorial

Se produce en las tierras que rodean el Ecuador. Se caracteriza por la fuerte insolación continua, lo que produce una **elevada temperatura todo el año,** sin apenas variación, entre los 25 y los 30 °C.

El fuerte calor produce una intensa evaporación y hace que también **llueva todo el año copiosamente** y de manera regular. La vegetación característica es la **selva.**

El área de clima ecuatorial se encuentra en América del Sur (selva del Amazonas y costa brasileña), África (cuenca del Congo, golfo de Guinea) y numerosos archipiélagos del océano Índico y del Pacífico.

Fuente: Iberoamérica, Madrid, Lunwerg, 1989.

La selva amazónica en Río Negro, Brasil. Las abundantes lluvias producen una flora exuberante.

4.2.2. El clima tropical

Se sitúa en amplias regiones próximas a los trópicos. **Su temperatura media es muy elevada, pero hay diferencias entre el verano y el invierno.**

Las lluvias también son muy abundantes, si bien, a diferencia del clima ecuatorial, en el tropical **se concentran en una época del año.** Existen dos variedades:

- El **tropical húmedo,** en el que llueve todo el año, aunque haya una estación menos lluviosa.
- El **tropical seco,** con una estación prácticamente sin lluvias.

La vegetación típica es la **sabana,** caracterizada por las hierbas muy altas, con escasos árboles.

El clima tropical lo encontramos en buena parte de América del Sur, América Central y el sur de Estados Unidos; en el centro y sur de África; en el norte de Australia; así como en Asia, en las penínsulas del Indostán e Indochina y las Filipinas.

La sabana africana es un buen ejemplo de la vegetación del clima tropical de estación seca, en tierras altas.

4.2.3. El clima desértico cálido

Se localiza también en los trópicos y en el interior de los continentes. **Sus temperaturas son elevadas** y existe una fuerte oscilación térmica entre el día, en que se alcanzan los 50 °C, y la noche, en la que pueden bajar a 4 o 5 °C.

El rasgo más característico es la **escasez de precipitaciones,** debida a que, al producirse en zonas interiores, apenas llegan las borrascas oceánicas y el aire es muy seco. **La vegetación es casi inexistente,** limitada a unas pocas plantas adaptadas a la falta de agua.

Las áreas de clima desértico cálido más características se encuentran en África (Sahara, Kalahari), Asia (desierto Arábigo, desierto de Kavir), interior de Australia, América del Sur (Atacama) y del Norte (Texas, Arizona).

Fuente: J. Apt et al., Órbita. Los astronautas de la NASA fotografían la Tierra, Barcelona, RBA / National Geographic Society, 1997.

Dunas del Sahara, en Argelia. Las dunas son resultado de la aridez, que facilita la erosión, al igual que de los fuertes vientos que surcan el desierto.

5 Los climas templados y fríos

Paisaje de pradera en la costa atlántica.

5.1. Los climas templados

5.1.1. El clima oceánico

Se localiza en las fachadas occidentales de los continentes, en el área de la zona templada. La proximidad al mar trae como consecuencia que **las temperaturas sean suaves:** veranos no muy calurosos e inviernos moderados. La diferencia de temperatura entre verano e invierno es, pues, escasa.

La proximidad al mar es también la causa de que **llueva de forma relativamente abundante durante todo el año,** aunque lo hace más en la estación fría. Llueve más en las zonas próximas a la costa, pero también en las más elevadas.

En el área oceánica se dan varios tipos de vegetación, entre los que destacan **el bosque de hoja caduca y la pradera.**

Podemos encontrar el clima oceánico en la zona próxima al Atlántico en Europa y Argentina, y en la costa del Pacífico en Chile, en América del Norte y en la isla de Tasmania (Oceanía).

5.1.2. El clima mediterráneo

Lo encontramos en regiones de baja latitud de la zona templada. Presenta **veranos calurosos e inviernos suaves.** Cerca del mar, el calor del verano disminuye un poco.

Las precipitaciones son escasas. Se concentran en las estaciones intermedias, primavera y otoño, mientras que en verano apenas llueve. Según aumenta la latitud, las precipitaciones disminuyen, de forma que hay áreas próximas a la desertización.

La vegetación típica alterna entre **el bosque mediterráneo y el matorral.**

El clima mediterráneo se sitúa en toda la cuenca del Mediterráneo, en la costa oeste de América del Norte, en el sur de Australia y en áreas del cono sur de América y del sur de África.

Encinas, vegetación típica del área mediterránea.

5.1.3. El clima continental

Es uno de los que más territorio ocupa en el planeta. Sus temperaturas se caracterizan por una diferencia amplia entre el verano y el invierno: **los inviernos son muy fríos** y **los veranos bastante calurosos.**

Las precipitaciones son muy variables: hay zonas muy lluviosas y otras muy secas, según la altura y los accidentes del relieve. Sin embargo, tienen un rasgo en común: **llueve más en verano** porque se produce una fuerte evaporación debida al calor. Por el contrario, el intenso frío del invierno hace disminuir las precipitaciones, que cuando se producen suelen caer en forma de nieve.

La vegetación presenta tipos muy diversos, desde **praderas,** en las áreas más lluviosas, hasta **la estepa** o **la tundra,** en las más secas y frías.

El clima continental afecta al interior de la masa continental de Europa y Asia y a todo el interior de América del Norte.

Parque Nacional de Denali, Alaska.
La tundra es una vegetación de escasa altura, adaptada a las condiciones del duro invierno de las regiones continentales más frías.

5.2. Los climas fríos

5.2.1. El clima polar

Se localiza en los dos círculos polares: el Ártico y el Antártico.

Se caracteriza por las **temperaturas extremadamente frías,** que se sitúan en la mayor parte de los meses por debajo de los 0 °C. Eso no impide que las diferencias entre verano e invierno sean también muy amplias, cada vez más, según nos adentramos en el interior del continente. Hay estaciones meteorológicas que han medido más de -70 °C en los meses más crudos del invierno.

Las precipitaciones son casi inexistentes, puesto que el intenso frío apenas permite la evaporación y la formación de nubes. A ello se debe que **apenas haya vegetación.**

Glaciar de Bryksdal, en Noruega.
Los grandes glaciares son característicos tanto de las zonas de montaña como de las regiones frías.

5.2.2. El clima de alta montaña

Se sitúa exclusivamente en las zonas más elevadas de las cordilleras. Está determinado por la altitud y es frecuente encontrar climas de alta montaña en una región en la que, a pocos kilómetros, existen climas cálidos.

Las temperaturas son muy frías en invierno y aumentan en verano. Según la altura, pueden ser relativamente altas o mantenerse muy frías incluso en verano. Los vientos fuertes, por otro lado, hacen aumentar la sensación de frío intenso. **Las precipitaciones suelen ser abundantes,** a menudo en forma de nieve.

La vegetación es muy variada y suele organizarse por alturas, de forma que varía desde **el bosque frondoso** en los valles hasta **la pradera** en altura, para, finalmente, desaparecer, aflorando la roca en las cumbres más altas. Allí, además, la nieve impide que se desarrolle vegetación.

Encontramos el clima de alta montaña en las grandes cordilleras: Himalaya, Alpes, Andes, Montañas Rocosas, Pirineos, etcétera.

ACTIVIDADES

9 Indica a qué clima corresponden las siguientes características:

a) Insolación continua todo el año, elevada temperatura media anual, precipitaciones todo el año.
b) Temperaturas suaves todo el año, lluvias abundantes especialmente en invierno, bosque de hoja caduca.
c) Gran oscilación térmica estacional, inviernos fríos, veranos calurosos, precipitaciones variables, en invierno en forma de nieve.

6 Los riesgos climáticos: sequías, inundaciones y ciclones tropicales

Los **riesgos climáticos** son todos aquellos peligros derivados de las alteraciones de los fenómenos atmosféricos que se producen en un lugar del planeta. Básicamente son tres: **sequías, inundaciones** y **ciclones tropicales.**

Los efectos de la sequía: erosión del suelo y desertización.

Fuente: Á. Martín Municio, *Ciencias de la naturaleza,* vol. 12, Barcelona, Planeta, p. 421.

6.1. Las sequías

Las sequías se producen cuando durante un tiempo muy prolongado las lluvias son inexistentes o casi inexistentes en un lugar de la Tierra. Pueden derivarse del **ciclo climático:** a lo largo de la historia, siempre han existido periodos de escasez de lluvias que, más tarde o más temprano, terminan con el retorno al tipo de clima habitual.

Sin embargo, las sequías también pueden ser consecuencia de la **acción humana.** Las presas y los sistemas de riego alteran el curso natural de las aguas, y lo mismo hacen las obras de ingeniería o la construcción. Eso hace que disminuya la evaporación. El excesivo consumo de agua, por otro lado, contribuye a acentuar la falta de reservas cuando hay sequía.

Las sequías **afectan a los seres humanos, a los animales y a las plantas.** Durante una sequía las plantas mueren, las cosechas disminuyen drásticamente y, a menudo, el suelo queda destruido, lo que prolonga las consecuencias más allá de la duración del periodo de escasez.

La disminución de las cosechas puede ocasionar hambrunas y matar a miles o millones de personas. Además, en periodos de sequía el **peligro de incendios** aumenta ante la abundancia de matorrales resecos. La sequía, por añadidura, afecta de otra forma a las ciudades, porque la lluvia facilita la dispersión de la contaminación atmosférica.

6.2. Las inundaciones

Las inundaciones provocan la pérdida de vidas humanas y la destrucción de tierras de cultivo y de áreas de vivienda. En la foto, los efectos del huracán *Katrina.*

Las inundaciones se producen a consecuencia de la **caída de precipitaciones excepcionalmente abundantes,** tanto que suponen un volumen de agua que los cauces y torrenteras no pueden absorber. Pueden desencadenarse tras varios días de lluvias copiosas o por la caída de un gran volumen de agua en pocas horas, como ocurre con el fenómeno de la **gota fría,** lluvias excepcionalmente abundantes que suelen producirse en la costa levantina española en los meses del otoño.

Aunque es un proceso natural, la **acción humana** contribuye a agravar la situación que provocan dichas lluvias. La deforestación ha acabado con el manto vegetal que retenía las aguas y la degradación de los suelos hace que éstos no puedan absorber el agua, que resbala hacia las torrenteras directamente. Los incendios contribuyen a crear el mismo efecto.

Por otro lado, la construcción de puentes sobre los ríos y ramblas y la edificación de viviendas en las riberas colapsan los cauces naturales, produciendo tapones que hacen desbordar las aguas e inundar las áreas próximas. Otras veces, la gran cantidad de agua acumulada produce la ruptura de un dique de una presa, generando una riada.

Las **consecuencias** pueden ser **desastrosas:** muerte de personas arrastradas por las aguas o sepultadas por el lodo, viviendas anegadas, campos arrasados, etc. Una corriente de 15 cm de alto puede arrastrar a una persona. Además, los supervivientes se enfrentan a menudo a las enfermedades y al hambre. Se calcula que en el siglo XX murieron más de tres millones de personas a consecuencia de inundaciones. Sólo en la década de los noventa hubo más de 26 catástrofes por inundación en el mundo.

6.3. Ciclones y tornados

Los **ciclones** son **borrascas de gran intensidad** que se producen en los mares tropicales en verano, cuando las altas temperaturas, por encima de los 26 °C, producen el ascenso de grandes masas de aire húmedo, las cuales giran a enorme velocidad. Se desplazan desde el mar hacia la tierra, con vientos cuya velocidad oscila entre los 100 y los 300 km por hora y que llevan consigo lluvias torrenciales y tormentas eléctricas.

Estos ciclones reciben diferentes nombres: **huracanes** en el Caribe, **tifones** en las costas del sur de Asia y **ciclones** propiamente dichos en las islas del Pacífico. Se producen unos 50 cada año, de intensidad muy variable. Aunque todos producen daños, hay algunos especialmente dañinos por la intensidad del viento y de las precipitaciones en el momento de entrar en contacto con la tierra. Sus consecuencias son similares a las de las inundaciones.

El proceso de **calentamiento del planeta** permite prever que el número de ciclones catastróficos crecerá y que es posible que su radio de acción se desplace a mayores latitudes, afectando a la zona templada.

Los **tornados** son fenómenos extremos, torbellinos de aire en forma de embudo de pequeño diámetro, pero que pueden producir vientos de más de 500 km por hora. No suelen durar mucho tiempo, pero sus efectos son devastadores.

Fuente: NASA/SVS.

Una imagen de satélite del huracán *Katrina*, que arrasó el Caribe y destruyó Nueva Orleans en agosto de 2005.

Fuente: US National Oceanic and Atmospheric Administration.

Un tornado sobre Oklahoma. Los tornados son fenómenos propios de latitudes tropicales, aunque el cambio climático está propiciando su extensión a áreas templadas.

Actividades

10 Explica qué diferencia hay entre un huracán y un tornado.

APÉNDICE

7 LECTURA E INTERPRETACIÓN DE MAPAS CLIMÁTICOS

La meteorología

La **meteorología** es la ciencia que estudia los fenómenos atmosféricos con el objetivo de poder predecir el tiempo y de prevenir las catástrofes de origen climático. En España, el **Instituto Nacional de Meteorología** es la institución que reúne toda la información necesaria para la predicción del tiempo.

Esa información procede de las **estaciones meteorológicas** españolas e internacionales, que cuentan con diversos instrumentos de medición, entre ellos algunos que ya hemos mencionado, como los termómetros, los barómetros, los pluviómetros o los higrómetros.

Hoy día el conocimiento de los fenómenos atmosféricos se ha perfeccionado mucho y es posible predecir el tiempo con varios días de antelación. A ello ha contribuido de forma decisiva la información que aportan los **satélites.** Provistos de instrumentos de medición, permiten conocer las características de las masas de aire de la parte alta de la atmósfera. Además, las fotografías que envían a la Tierra facilitan a los meteorólogos el conocimiento de la evolución de los frentes sobre la superficie.

A esa precisión ayudan también los **programas informáticos,** que procesan la información y permiten calcular de forma muy certera cómo va a evolucionar la situación meteorológica a medio y largo plazo.

De todas formas, hay que tener en cuenta que la meteorología no es una ciencia infalible. Lo que hace es predecir los fenómenos atmosféricos y los pronósticos son cada vez más acertados, pero siempre es posible que la atmósfera evolucione de forma distinta a la prevista.

Los mapas del tiempo

Uno de los instrumentos más importantes que manejan los meteorólogos son los **mapas del tiempo.** Consisten en la representación cartográfica de los fenómenos atmosféricos y sirven para predecir el tiempo, pero también para informar directamente al público del tiempo que va a hacer.

Hay dos tipos básicos de mapas meteorológicos:

Los **mapas de superficie** representan la situación de la atmósfera en el nivel del mar. En ellos aparecen los anticiclones y las borrascas representados mediante líneas isobaras y diferenciados mediante las letras A y B. En el caso de las borrascas, también se representan los frentes (las masas de aire frío o cálido que entran en ellas) mediante líneas radiales respecto del centro de la borrasca. Los frentes fríos se representan mediante una línea con picos o triángulos, mientras que los cálidos son líneas que contienen semicírculos. Cuando es en color, el frente frío se representa en azul y el cálido en rojo.

Los mapas de superficie son los que usan los meteorólogos, puesto que la información sobre las presiones y frentes es la que realmente permite calcular la evolución de la atmósfera.

Los **mapas significativos** representan mediante signos convencionales el tiempo concreto que va a hacer en cada lugar. En ellos aparecen signos para el sol, las nubes, la lluvia o la nieve. Son puramente informativos y son los que suelen usarse tanto en televisión como en prensa para informar al público.

Además, se emplean otros mapas especializados, como los de **isotermas,** que representan las temperaturas de la atmósfera.

Fotografía satélite del 24 de junio de 2010.

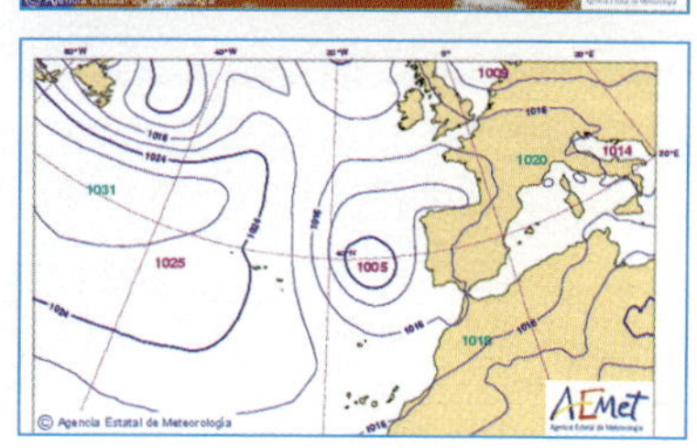

Mapa de superficie del 24 de junio de 2010.

Mapa significativo del tiempo del 24 de junio de 2010.

Interpretación de mapas del tiempo

La lectura de mapas del tiempo resulta muy compleja, porque los meteorólogos manejan datos que no siempre aparecen en los mapas. Podemos encontrar varios tipos de zonas:

- **Zonas anticiclónicas:** son áreas que quedan bajo la influencia directa de un anticiclón. El resultado será un tiempo seco y soleado. En la Península corresponden en verano a un tiempo caluroso y en invierno dan lugar a temperaturas suaves.
- **Zonas de borrasca:** son regiones que quedan bajo la influencia de una o varias borrascas profundas, más o menos próximas. Lo normal es que el tiempo sea nublado, con viento más o menos fuerte y, según la profundidad de la borrasca, con más o menos lluvias.

Dentro de esta clase de situaciones, el tiempo será distinto según el tipo de frentes que atraviese la región: los frentes fríos suelen traer un descenso de temperaturas, pero con menos lluvias, mientras que los frentes cálidos traen consigo más precipitaciones, pero también producen temperaturas más suaves.

Climogramas

Los **climogramas** son gráficas en las que se representan las dos variables fundamentales que definen el clima de un lugar a lo largo del año: la **temperatura** y las **precipitaciones.** Los climogramas permiten analizar el clima de una ciudad o de una estación meteorológica y clasificarlo.

En el eje horizontal se representan los meses del año y en el vertical los grados de temperatura y los milímetros anuales de precipitaciones. Las temperaturas se representan mediante una curva, mientras que las precipitaciones aparecen como un diagrama de barras.

Las temperaturas son expresadas mediante su valor medio. Para eso se tienen en cuenta las del día y las de la noche y se calculan a lo largo de varios años, con el fin de que la media resultante sea significativa.

Las precipitaciones se recogen en su totalidad, es decir, la suma de todas las caídas a lo largo del mes. Para calcularlas se obtiene también la media de dicho mes a lo largo de varios años.

En los climogramas debe indicarse también el total de precipitaciones y la temperatura media anual.

Actividades

1 Analiza y comenta un mapa meteorológico de superficie de España:

- ¿Qué tipo de presiones se sitúan en la península Ibérica?
- ¿Ves algún frente? ¿Qué tipo de frente?
- Según este mapa, ¿qué tiempo crees que hará?

2 Dibuja un climograma en papel cuadriculado. Sigue las instrucciones y representa el clima cuyos datos vienen a continuación:

	E	F	M	A	M	J	J	A	S	O	N	D
T (ºC)	9	10	11	12	14	17	19	19	18	16	12	10
P (mm)	127	99	104	120	92	65	51	84	93	128	165	142

- Dibuja un eje horizontal y sitúa en él los meses del año.
- Dibuja el eje vertical de la izquierda y sitúa en él las precipitaciones en milímetros.
- Dibuja el eje vertical de la derecha y coloca en él las temperaturas en grados (ºC). La relación entre las escalas de temperaturas y precipitaciones debe ser de unos 20 mm de precipitación por cada grado de temperatura.
- Señala con un punto el lugar de intersección entre el mes y la temperatura que te indicamos en la tabla anterior. Cuando tengas los puntos de los doce meses, únelos con una línea.
- Marca con una línea horizontal la intersección entre el mes y las precipitaciones correspondientes de cada mes que verás en la tabla. Luego, rellena en cada columna la parte inferior a la línea, para obtener el diagrama de barras.

3 Comenta el climograma que has dibujado:

- Calcula la temperatura media anual sumando la de todos los meses y dividiendo el resultado por doce.
- Suma todos los datos de precipitaciones y obtendrás la precipitación media anual. Halla la oscilación térmica anual.
- Di qué meses tienen las temperaturas más altas y cuáles tienen las más frías.
- Señala cuáles son los meses más lluviosos y los menos lluviosos.
- Di a qué zona climática y a qué tipo de clima pertenece.

PRACTICA COMPETENCIAS

Competencia en el conocimiento y la interacción con el mundo físico

1 Copia un mapamundi como éste en tu cuaderno y colorea las zonas en que se divide la Tierra en función de los tres grandes grupos de climas.

2 Escribe el nombre de cinco países de clima mediterráneo e indica el continente en el que se encuentran.

Competencia matemática

3 Unos alpinistas se encuentran a 4.735 m de altura, con una temperatura de 3 °C. ¿Qué temperatura habrá en un pueblo situado en la base de la montaña?

4 Si en el clima desértico cálido la temperatura máxima diurna alcanza los 50 °C y en el clima polar se han llegado a medir temperaturas de -70 °C, ¿de cuántos grados es la oscilación térmica máxima entre ambas zonas climáticas?

5 Como ya sabes, la velocidad de la luz es de 300.000 km por segundo y la del sonido es de 340 m por segundo (aproximadamente). Si desde que ves el resplandor de un relámpago hasta que escuchas el trueno han pasado 13 segundos, ¿a qué distancia se encuentra la tormenta?

Tratamiento de la información y competencia digital

6 Completa en tu cuaderno el siguiente cuadro sobre las capas de la atmósfera y sus principales características:

Capas de la atmósfera	Características

7 Completa en tu cuaderno el siguiente cuadro sobre los climas de la Tierra:

Tipo de clima / Zona climática	Temperatura / Precipitaciones

8 Completa en tu cuaderno las siguientes frases:

Las brisas marinas circulan de día desde …… hacia …… por …….

Los vientos variables se generan en …… y afectan a nuestro país ……, así como dan lugar al …….

Los monzones del …… circulan desde el …… al …… en …… y desde …… hacia …… en …….

9 De las siguientes afirmaciones, indica en tu cuaderno cuáles son verdaderas (V) y cuáles falsas (F):

a) La distancia al mar, la altitud y la latitud son elementos del clima.

b) La humedad es la cantidad de vapor que tienen las nubes.

c) El aire caliente pesa menos que el frío.

d) Las zonas de bajas presiones se denominan borrascas.

e) El cierzo, la tramontana o el siroco son vientos variables españoles.

10 Si un meteorito alcanzase tal velocidad que le permitiese llegar al centro de la Tierra, ¿qué capas tendría que atravesar?

11 Explica para qué sirven los siguientes aparatos:

a) Barómetro.

b) Pluviómetro.

c) Anemómetro.

d) Higrómetro.

12 ¿De qué manera influye la acción humana en el aumento y agravamiento de las consecuencias de las inundaciones?

13 ¿Por qué razón los cristales de las ventanas de clase aparecen, en ocasiones, empañados?

Tratamiento de la información y competencia digital

14 Teclea en tu navegador: <http://recursos.cnice.mec.es/biosfera/alumno/1ESO/atmosfera/actividades/actividad_6.htm> y coloca cada capa de la atmósfera en el lugar que le corresponde. Una vez la respuesta sea correcta, cópiala en tu cuaderno e indica qué representa la imagen y la capa correspondiente.

15 *Keith, Mitch* o *Katrina* son nombres de huracanes. Busca información y contesta a las siguientes cuestiones: ¿a quién corresponde ponerles nombres? ¿Por qué unas veces son masculinos y otras femeninos? ¿Qué ocurre con un nombre cuando el fenómeno atmosférico es muy destructivo?

Para encontrar respuesta a estas preguntas te bastará con teclear en tu buscador «nombres de huracanes» para que te aparezcan múltiples páginas sobre el tema.

Fotografía del huracán *Épsilon* (2005), visto desde la Estación Espacial Internacional.

Competencia en comunicación lingüística

16 Define, utilizando tus propias palabras, los siguientes términos:

a) Fuerza de la gravedad.

b) Temperatura.

c) Humedad.

d) Presión.

e) Viento.

Competencia social y ciudadana

17 Todos los veranos en España tienen lugar una gran cantidad de incendios. Unos son consecuencia de accidentes o fenómenos atmosféricos, otros de la acción de pirómanos, pero la mayoría tienen detrás intereses económicos. ¿Qué razones crees que pueden llevar a que una persona incendie intencionadamente una determinada superficie de bosque o campo?

Autonomía e iniciativa personal

18 Divide una cartulina en dos. En una mitad coloca fotografías, dibujos, gráficos, etc. que demuestren los problemas de los países en desarrollo derivados de la ausencia de agua. En la otra mitad, igualmente a través de imágenes, muestra el mal uso que hacemos de ella en los países desarrollados.

19 Completa el ejercicio anterior con un trabajo escrito en el que realices una crítica de las imágenes o datos utilizados en el mural.

PÁGINAS WEB

Las siguientes páginas web te pueden ayudar en el estudio de esta unidad:

Corresponde a la página de la Agencia Estatal de Meteorología. Desde ella podrás conocer la predicción del tiempo para los próximos días, informarte de avisos relacionados con la meteorología, ver mapas, etcétera.

www.aemet.es

Página del Instituto de Astrofísica de Canarias. Además de información meteorológica, puedes conocer el Observatorio del Teide y distintos tipos de telescopios.

www.iac.es

Desde esta página podrás conocer el tiempo, con detalle, de 200.000 poblaciones.

www.eltiempo.es

Te permitirá ampliar tus conocimientos sobre olas de frío o calor, huracanes, sequías, al igual que todo lo relacionado con riesgos climáticos.

www.rinamed.net/es/es_ris_clim.htm

Los medios naturales y los recursos. Su distribución climática

«Los líquenes y musgos crecen por toda la tundra, y también más de mil especies diferentes de plantas fanerógamas. Ninguna de ellas alcanza las dimensiones de un arbusto pequeño, ya que los fuertes vientos lo impiden. Sin embargo, algunas son árboles.»

David ATTENBOROUGH,
El planeta viviente, Barcelona, Salvat, 1994.

- ¿De qué zona climática son características las selvas? ¿En qué continentes se encuentran?
- ¿En qué zona climática los inviernos son templados y los veranos secos y calurosos?
- ¿En qué lugares de la Tierra se encuentran las zonas polares? ¿Cómo se llaman sus habitantes originarios?

4

Los paisajes naturales forman uno de los patrimonios más importantes que tenemos. El desarrollo económico ha ido disminuyendo poco a poco su extensión, pero aún quedan muchas zonas en las que sobreviven ecosistemas naturales, cuya conservación es vital para el futuro del planeta. En la foto, el Parque Nacional de Charlevoix, en Quebec, Canadá, una de las zonas de tundra que mejor se conservan.

1 El estudio integral del medio natural

El paisaje natural es el resultado de una serie de elementos, como el clima, la vegetación y la fauna, que se influyen mutuamente. Cualquier cambio puede alterar el paisaje original. En la foto, un guepardo que otea las llanuras de Masái, Kenia.

1.1. El paisaje

En el lenguaje cotidiano, un paisaje es un espacio que podemos observar. Casi siempre que usamos el término nos referimos a un lugar bello, que nos gusta contemplar, normalmente en el campo. Sin embargo, en el contexto de la geografía, el concepto es más complejo:

Llamamos **paisaje** a un espacio físico que es el resultado de una combinación de características que lo hacen distinto de los demás.

Esas **características** pueden ser **de tipo natural** –como el clima, el relieve, el suelo, la vegetación o la fauna– o **de carácter humano** –como los cultivos, las minas, los edificios o las vías de comunicación.

Cada uno de los factores tiene diferente influencia, pero todos tienen su importancia. Hoy se considera que cualquier alteración de uno de ellos puede modificar el medio en mayor o menor grado. Por ello, un estudio riguroso del paisaje obliga a tener en cuenta todos esos aspectos de forma conjunta, además de resultar de vital importancia, dado que el paisaje **condiciona** directamente **la forma de vida de los seres humanos.**

1.2. Paisajes naturales y paisajes humanos

Podemos distinguir dos tipos de paisajes:

- **Paisajes naturales:** son aquellos que no han experimentado la acción humana y que, por tanto, conservan sus caracteres originarios.
- **Paisajes humanos:** son los que sí han sufrido, en mayor o menor grado, los efectos de la acción humana.

Los paisajes naturales están en constante retroceso en todo el planeta. En las zonas más pobladas, como la zona templada y, en general, los valles de los ríos y las costas, casi no quedan paisajes naturales. Por el contrario, son más abundantes en aquellos lugares en los que las condiciones climáticas son duras para el ser humano: las selvas ecuatoriales, los desiertos cálidos, las zonas frías o la alta montaña.

Los elementos del paisaje natural.

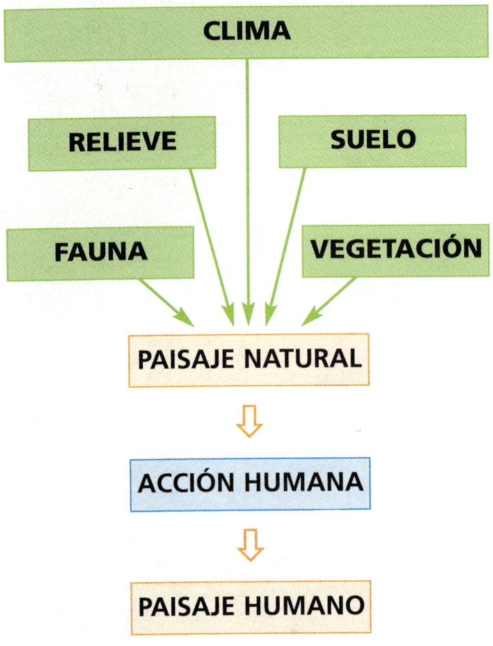

1.3. Los elementos del paisaje

Un **paisaje natural** es el resultado de la relación constante entre las condiciones del **clima,** el **suelo,** el **relieve,** la **vegetación** y la **fauna.**

El **clima** es decisivo para el paisaje, puesto que las condiciones de temperatura y humedad influyen en él de manera determinante. El clima permite un grado mayor o menor de agua en las capas del suelo y limita su capacidad de nutrir las plantas. Además, da lugar a la existencia de plantas y de animales especialmente adaptados a esas condiciones climáticas.

El **suelo** es la capa superior de la superficie terrestre y está compuesto por minerales, seres vivos, agua y gases. Está formado por varias capas u **horizontes,** desde la inferior, también llamada **roca madre,** a la superior o **humus*,** que es la que permite que las plantas echen sus raíces. Según sus características, serán más o menos fértiles.

- **Suelos fértiles:** son aquellos cuyo humus tiene cierta profundidad y es rico en agua, oxígeno y materia orgánica, que permiten la alimentación de las plantas.
- **Suelos poco fértiles:** son aquellos en los que el humus es poco profundo o se ha ido degradando. También lo son aquellos que tienen poca agua, oxígeno o materia orgánica.

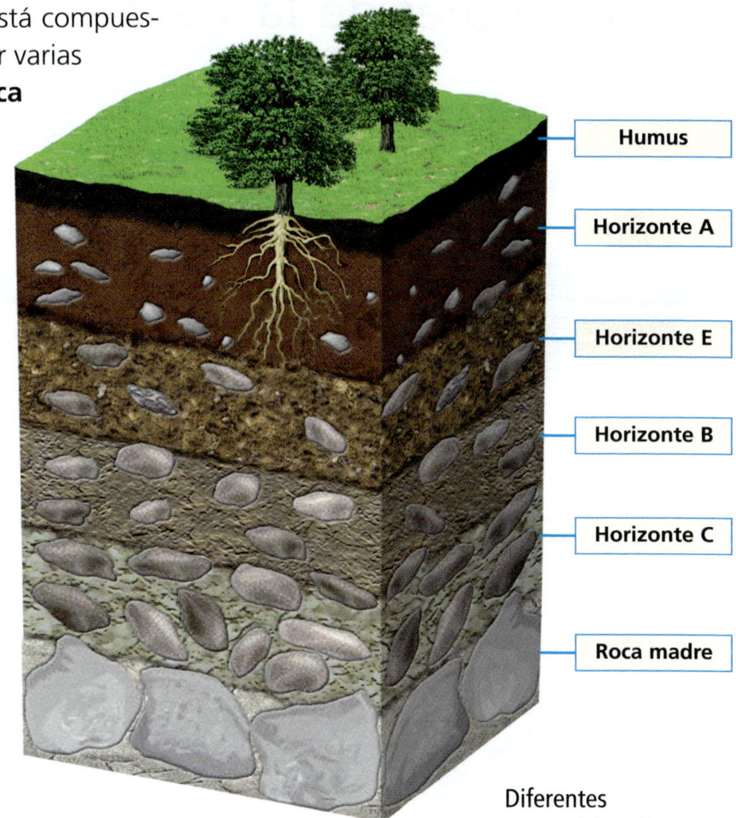

Diferentes capas del suelo.

El **relieve** es el conjunto de formas complejas que accidentan la superficie del globo terráqueo. Las zonas llanas y bajas permiten la formación de suelos más estables y de una vegetación más compacta. Por el contrario, las zonas elevadas y las pendientes ofrecen condiciones más difíciles para la vida vegetal, por lo que sólo sobreviven especies adaptadas al frío o a suelos muy poco profundos.

La **vegetación** es el conjunto de plantas que hay en un espacio geográfico, como resultado de la acción del clima y de las características del suelo. Las plantas están adaptadas al medio y necesitan unas condiciones de calor y humedad determinadas. Según su desarrollo, las plantas pueden ser **árboles** y formar **bosques,** o **arbustos*,** cuyo conjunto llamamos **monte bajo.** Ambos tipos de vegetación pueden coexistir, en cuyo caso hablamos de **sotobosque** para referirnos a los arbustos que se desarrollan entre los árboles.

En cuanto a la **fauna,** en cada paisaje de la Tierra habitan aquellas **especies mejor adaptadas** a las condiciones de ese paisaje y, por ello, depende de los demás factores. A su vez, su acción sobre el medio también determina el paisaje.

Conceptos

- **Humus:** capa exterior del suelo formada por materia orgánica descompuesta, que permite la vida de las plantas.
- **Arbustos:** plantas leñosas, de poca altura y cuyas ramas arrancan desde la base.

Actividades

1 Fíjate en la fotografía del Parque de Doñana e indica:
- Tipo de paisaje.
- Consecuencias de posibles intervenciones del ser humano.

2 Explica la diferencia entre paisajes naturales y paisajes humanos.

3 Enumera los elementos que condicionan el paisaje.

4 ¿Qué capa del suelo es indispensable para su fertilidad? Justifica tu respuesta.

Los paisajes de la Tierra

Paisaje continental.

Paisaje de alta montaña.

Paisaje de desierto cálido.

Paisaje ecuatorial.

Paisaje tropical.

Paisaje mediterráneo.

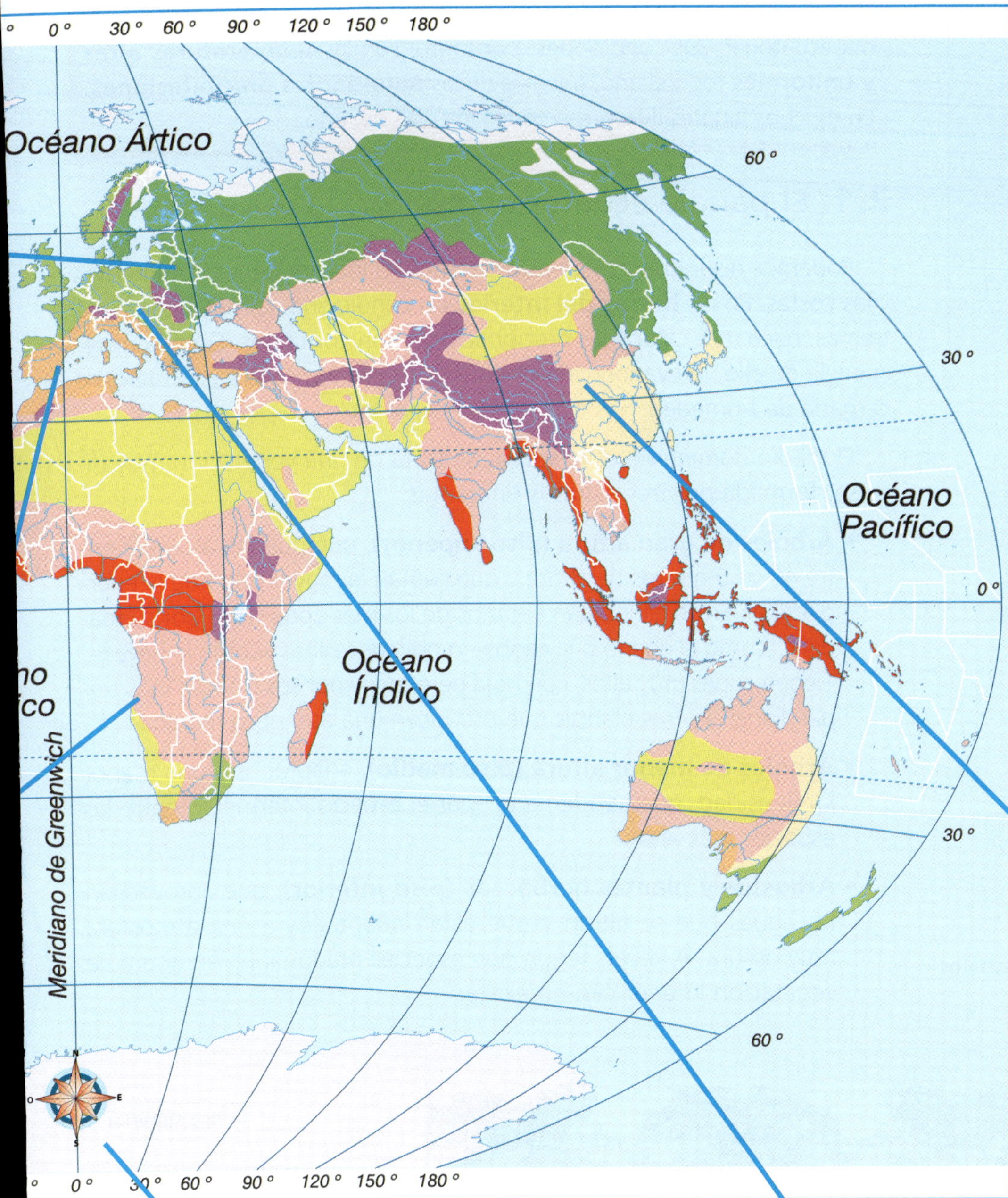

Paisajes cálidos

- Ecuatorial
- Tropical
- Desértico cálido

Paisajes templados

- Mediterráneo y similares
- Chino
- Oceánico
- Continental

Paisajes fríos

- Polar
- Alta montaña

Paisaje chino.

Paisaje polar.

Paisaje oceánico.

2 Los paisajes naturales cálidos (I): el medio ecuatorial

Los **paisajes ecuatoriales** coinciden con el área de influencia del clima ecuatorial. Sus condiciones, por tanto, son las **temperaturas altas y uniformes** todo el año, además de las **abundantes precipitaciones.** En muchos lugares llueve casi todos los días del año.

2.1. El paisaje ecuatorial interior: la selva

Podemos distinguir dos áreas diferentes: el interior de los continentes y las costas. En las **tierras del interior** las condiciones climáticas son extremas: hace más calor y las precipitaciones son continuas. Como consecuencia de ello, la evaporación es constante y la atmósfera está siempre cargada de humedad.

El medio dominante es la **selva.** Se trata de una vegetación muy diversa, formada por tres estratos diferentes:

- **Árboles de gran altura (piso superior),** que pueden alcanzar entre 40 y 60 metros de altura y que captan la mayor parte de la energía solar. Entre ellos están algunos de los más apreciados por su madera –como el ébano o la caoba– o por sus resinas –como la hevea–. Tienen copas muy altas, con hoja perenne, y por sus troncos lisos trepan lianas y otras plantas que producen una auténtica maraña.
- **Árboles de menor altura (piso medio),** adaptados a una menor luminosidad, que tienden a ocupar el espacio intermedio entre las especies más altas.
- **Arbustos y plantas herbáceas (piso inferior),** que aprovechan las aguas que se filtran y que están adaptados a una atmósfera muy oscura. A veces, según qué especies predominen en altura, la vegetación inferior casi no existe.

Fauna y vegetación en estratos de la selva ecuatorial.

A la vegetación exuberante de la selva está asociada la presencia de una **fauna muy rica,** que abarca todo tipo de especies, sobre todo insectos y aves, y que constituye la reserva animal más importante del planeta.

A consecuencia de las elevadas precipitaciones, los **ríos** son **muy caudalosos y regulares,** además de recoger aguas en extensas redes fluviales, a veces cuencas gigantescas, como las del Amazonas o el Congo.

2.2. El paisaje ecuatorial costero

El otro medio de las zonas ecuatoriales es el de las **costas.** En ellas, los vientos procedentes del mar suavizan las temperaturas y la evaporación es algo menor. Las lluvias se producen cíclicamente, a través de las borrascas que llegan desde el mar.

La vegetación se aclara y aparecen los **manglares,** que son selvas de menor altura y densidad, y a menudo áreas herbáceas, parecidas a las sabanas. También aparece esta vegetación en las mesetas y en las zonas elevadas del interior.

2.3. El poblamiento humano

Las condiciones de la selva ecuatorial crean un **medio muy hostil para el poblamiento humano.** El aire es sofocante, casi irrespirable, y el calor demasiado intenso. Además, estas condiciones favorecen la actividad bacteriana y el contagio de enfermedades infecciosas. Los suelos, aptos para la vegetación selvática, resultan, sin embargo, muy poco adecuados para el cultivo agrícola.

En tales condiciones, permanecen en el interior de las áreas selváticas sólo pequeñas comunidades. El poblamiento se observa en las zonas elevadas, en las mesetas del interior y en las costas, donde tiende a concentrarse en grandes ciudades. Desde allí se organiza la explotación del interior, basada en las instalaciones mineras y en la tala de árboles de aprovechamiento maderero.

Fuente: L. Pancorbo, *Mi buen salvaje*, Barcelona/Madrid, Folio/RTVE, 1992.

Un cazador de la tribu huaorani, con su cerbatana, en la selva amazónica del Ecuador.

ACTIVIDADES

5 Describe qué tipo de flora y de fauna puedes encontrar en el medio selvático.

6 Indica tres razones por las que decimos que la selva ecuatorial es un medio hostil para la vida del ser humano.

7 ¿Por qué el suelo de la selva es poco apto para la agricultura?

Manglares en el río Plátano, Honduras, declarado Reserva de la Biosfera.

Fuente: A. de Sostoa Fernández y X. Ferrer, *Naturaleza en Iberoamérica*, Madrid, Lunwerg/ICONA, 1992.

3 Los paisajes naturales cálidos (II): el medio tropical húmedo y el desierto cálido

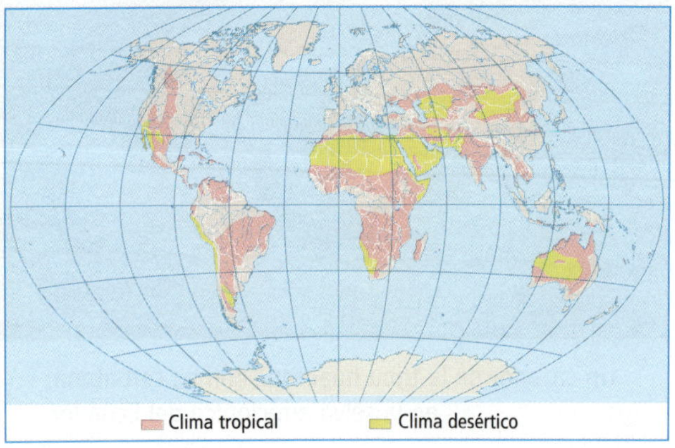

Un ejemplo de sabana: la Reserva de la Biosfera de Beni, en Bolivia.

El paisaje de la zona tropical incluye la sabana, en las mesetas más elevadas, el bosque más tupido, en los valles y áreas próximas a los ríos, y, conforme disminuyen las lluvias, la transición al desierto cálido.

3.1. El paisaje tropical

El paisaje natural tropical se localiza en las áreas situadas junto a ambos trópicos. Puede aparecer muy cerca del Ecuador, pero otras veces sólo se encuentra cuando nos acercamos a las latitudes de los trópicos. Esa diferencia depende de la altura sobre el nivel del mar y también de la proximidad a las costas.

En realidad, según el régimen de lluvias existen **dos paisajes tropicales:**

- **Regiones próximas al mar,** expuestas a vientos constantes. En las fachadas occidentales de los continentes (golfo de Bengala, sur de China, Caribe, costa meridional de Brasil) llueve todo el año, aunque haya una estación más lluviosa. Las condiciones climáticas son parecidas a las de las regiones ecuatoriales y, por eso, el paisaje predominante es la **selva,** aunque no tan densa como la selva ecuatorial.
- **Regiones del interior situadas en zonas elevadas** (región africana de los grandes lagos, mesetas colombiana y venezolana, interior de la India). A lo largo del invierno hay una estación seca, que coincide con temperaturas suaves. Allí se desarrolla la **sabana,** un paisaje caracterizado por el predominio de especies herbáceas de gran altura (llegan a los 2 metros), con algunos árboles dispersos que, como el baobab o la acacia, tienen un ramaje horizontal y están adaptados a esa estación seca. Sólo en los valles de los ríos reaparece el bosque cerrado, propio de la selva.

La **sabana** es el hábitat de **numerosas especies de grandes mamíferos,** sobre todo herbívoros, y da lugar a una de las faunas más ricas del planeta. También facilita el poblamiento humano, dado que hay menos humedad que en las zonas ecuatoriales y las temperaturas de la estación seca son bastante agradables.

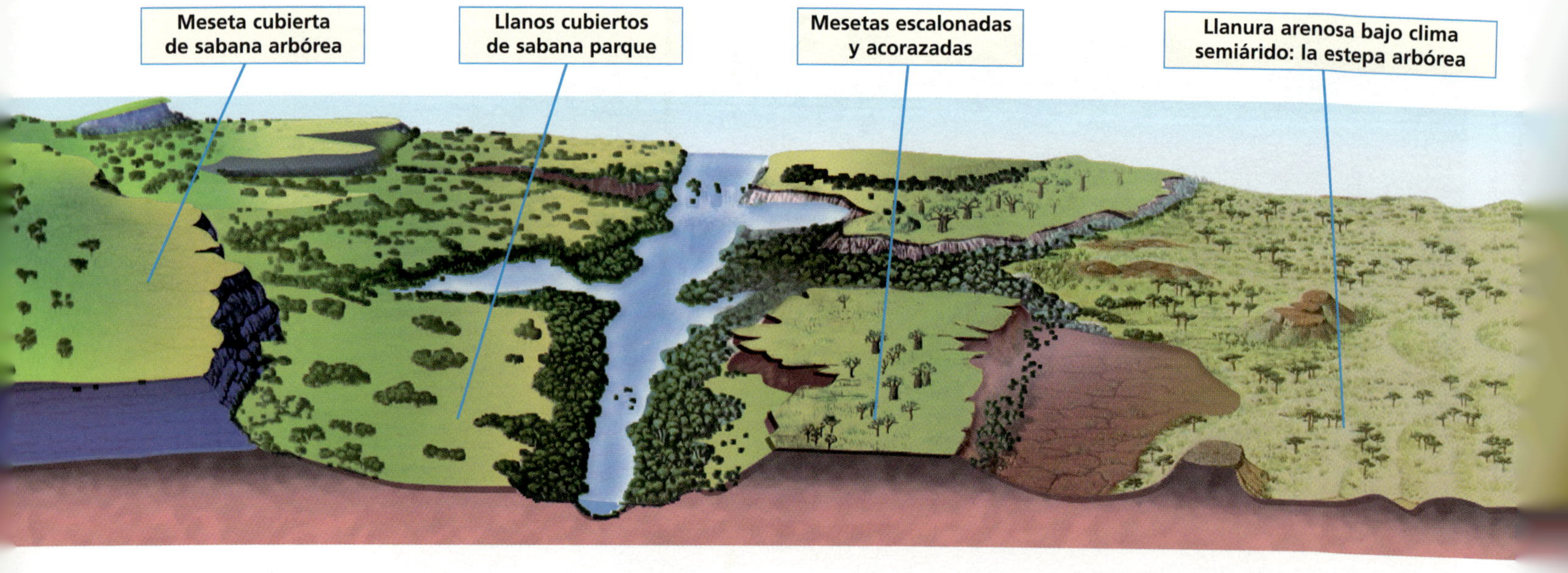

La red fluvial se caracteriza por los **grandes ríos,** que recogen aguas de extensas cuencas. Son ríos regulares, aunque presentan caudales más intensos en las épocas en que termina la estación más lluviosa. Esas crecidas, propias de ríos como el Ganges, el Nilo o el Mekong, pueden ser catastróficas, pero también se aprovechan sus posibilidades agrícolas mediante presas y sistemas de irrigación.

3.2. Los desiertos cálidos

Se localizan en **latitudes próximas a los trópicos,** alternando con las regiones de paisajes tropicales, y casi siempre en el interior de los continentes.

Su régimen de temperaturas se parece al tropical, aunque hay una mayor oscilación térmica anual. El rasgo más característico es, sin duda, la **ausencia casi total de precipitaciones.** Ello se debe a la acción casi constante de anticiclones y también al hecho de que los escasos frentes descargan las lluvias en las costas, por lo que los vientos llegan secos al interior del continente.

El paisaje desértico cálido se caracteriza por la **aridez.** Presenta roquedos, arenales de dunas (allí donde son frecuentes los vientos fuertes, que mueven constantemente la arena) y una **vegetación escasísima:** pequeñas plantas xerófilas* –como los cactus– y algunos árboles –como las palmeras– adaptados a la sequedad, junto a los pocos lugares en que se acumula algo de agua.

El paisaje desértico tiende a expandirse. La aridez produce una **degradación constante del suelo,** lo que hace muy difícil recuperar el manto vegetal. Tampoco hay, claro está, una red fluvial (salvo el Nilo, que atraviesa el Sahara, pero que en realidad transporta a gran distancia aguas de regiones tropicales). En esas condiciones, **apenas hay población:** se limita a grupos nómadas de pastores, que suelen situarse en los límites del desierto.

Además del Sahara, la más grande de las regiones de desierto cálido, hay que mencionar los desiertos de Kalahari (en el África sudoriental), el desierto de Arabia, el desierto de Kavir (en Irán), el desierto del Oeste (en Australia), el de Arizona (en EEUU), o el de Atacama (en Chile).

Actividades

8 Observa el dibujo del paisaje tropical de la página anterior y explica los elementos naturales y humanos que aparecen en él.

9 La sabana es el hábitat de numerosas especies de grandes mamíferos, sobre todo herbívoros. Escribe cinco ejemplos.

Conceptos

- **Plantas xerófilas:** plantas adaptadas a climas secos, con raíces profundas para captar la humedad del suelo, troncos leñosos y hojas pequeñas recubiertas de una capa dura.

El desierto de Atacama, en Chile, uno de los más áridos del planeta.

Fuente: A. de Sostoa Fernández y X. Ferrer, *Naturaleza en Iberoamérica*, Madrid, Lunwerg/ICONA, 1992.

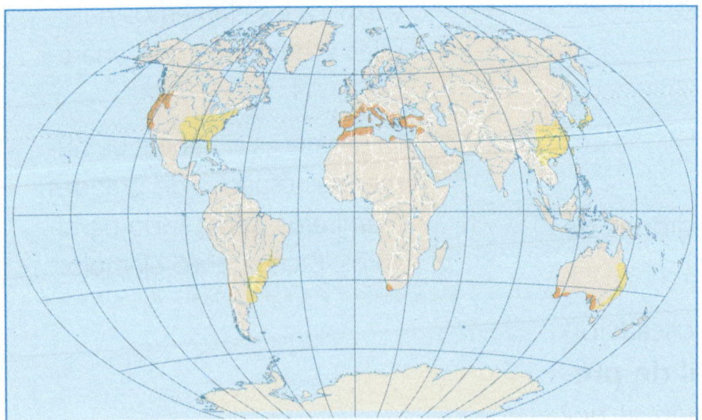

Los paisajes del medio templado, determinados, asimismo, por sus climas correspondientes, se sitúan entre los trópicos y los círculos polares y ocupan grandes áreas en el hemisferio norte, donde hay una gran masa continental en esas latitudes.

Hay que señalar que, al tratarse de las zonas más densamente pobladas del planeta desde tiempos muy antiguos, el paisaje se ha visto muy transformado y las áreas naturales son escasas.

4.1. Las regiones de paisaje mediterráneo

El paisaje mediterráneo se encuentra en todos los países que rodean el mar Mediterráneo y, además, en pequeñas zonas de otros continentes, como en California o en el sur de Australia.

El **clima mediterráneo** se caracteriza por temperaturas elevadas en verano y suaves en invierno. Las lluvias son escasas e irregulares, con grandes diferencias de volumen según los años. Se suelen concentrar en las estaciones intermedias y en el invierno. A menudo se producen en pocos días y pueden ser torrenciales, lo que da lugar a inundaciones y a una fuerte erosión en los suelos, que perjudica la permanencia del manto vegetal.

Los **ríos** son cortos y tienen un **estiaje* prolongado.** Muchos cauces permanecen secos la mayor parte del año o incluso permanentemente formando **ramblas*** por las que las **riadas*** evacuan violentamente el agua hacia el mar cuando hay inundaciones.

Bosque de alcornoques, típico del paisaje mediterráneo.

La **vegetación** varía entre dos formaciones:

- El **bosque de hoja perenne,** formado por especies de hojas pequeñas, duras y secas, adaptadas a la escasez de agua y a la larga estación seca. En la zona litoral predomina el bosque de pino mediterráneo, mientras que hacia el interior abundan las encinas y alcornoques. Junto a los árboles, crece un matorral formado por plantas aromáticas y espinosas (espliego, lavanda, romero).
- El **maquis** o **garriga,** formación de arbustos xerófilos que surge en las zonas que han sido deforestadas por la degradación del suelo, la tala de bosques y el abandono de zonas de cultivo. Es una vegetación de escasa altura, con muchos claros y adaptada a la falta de agua, pero que no sirve para evitar la erosión, por lo que el suelo se va degradando lentamente.

El paisaje natural mediterráneo es uno de los que más está acusando el proceso de destrucción asociado a la acción humana y al cambio climático.

4.2. El paisaje de fachada oriental o chino

En las fachadas orientales de América del Norte (Caribe), este de Australia y, sobre todo, de Asia (China), existe un **clima** que tiene unas temperaturas similares a las del mediterráneo: **verano caluroso** e **invierno suave.**

Sin embargo, el régimen de precipitaciones es muy distinto: en invierno apenas llueve, por la presencia de anticiclones, mientras que en verano los huracanes del Atlántico y los tifones y monzones del Pacífico producen lluvias abundantes y torrenciales, además de una atmósfera cargada de humedad.

Los **ríos** recogen esas **lluvias abundantes.** Son **largos, caudalosos** y experimentan crecidas importantes, si bien regulares, en la estación de las lluvias.

La **vegetación** presenta una mezcla de especies, desde el **bosque caducifolio** en las zonas más húmedas (arce, roble, nogal, haya) hasta el **bosque mediterráneo** (coníferas), aunque también especies aborígenes, como el bambú, la magnolia o la palmera.

Conceptos

- **Estiaje:** caudal mínimo de un río en determinadas épocas del año.
- **Rambla:** cauce ancho, plano y habitualmente seco, que en las zonas mediterráneas permite evacuar aguas en situaciones de inundación.
- **Riada:** corriente que evacua grandes cantidades de agua, procedente de lluvias súbitas y torrenciales, y que los cauces y ramblas no pueden absorber, por lo que el agua desborda e inunda campos y áreas urbanas.

Paisaje chino: bambúes junto al río Yangshuo.

Actividades

10 Enumera las principales especies vegetales del medio mediterráneo y del medio chino.

11 Haz una descripción del paisaje mediterráneo, con las principales características de los ríos –curso, caudal, rapidez, regularidad, etc.–. A continuación, compárala con la zona ecuatorial.

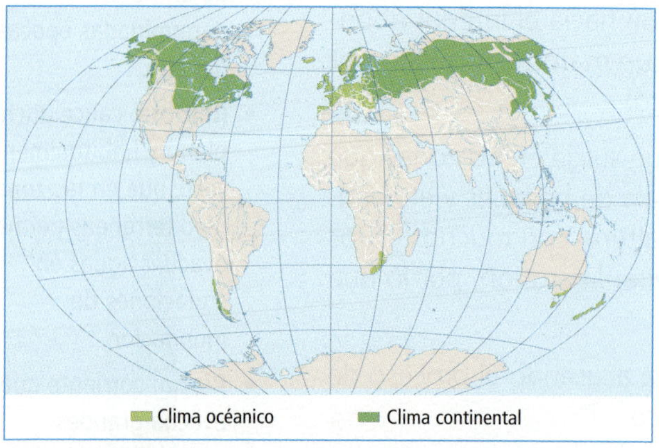

Fuente: VVAA, *Bretagne*, París, Éditions Sun, 1990.

Bosque oceánico de hayas de Huelgoat, en Bretaña.

Fuente: VVAA, *Bretagne*, París, Éditions Sun, 1990.

En las regiones de clima oceánico, la pradera es el paisaje alternativo al bosque de hoja caduca (Saint-Ganton, Bretaña).

5.1. Las regiones de paisaje oceánico

El **paisaje oceánico** lo encontramos sobre todo en las fachadas occidentales de Europa (junto al Atlántico) y de América del Norte (junto al Pacífico). En general, apenas se extiende hacia el interior del continente.

El clima está muy condicionado por los vientos procedentes del océano, que vienen cargados de humedad y descargan lluvias durante todo el año, aunque sobre todo en invierno. Además, la cercanía del mar produce unas temperaturas muy suaves en invierno y poco calurosas en verano, con escasa oscilación anual.

El resultado es una vegetación verde, que incluye tres tipos de formaciones:

- El **bosque de hoja caduca,** que se adapta a los inviernos más fríos, sobre todo en altas latitudes. Las especies son muy diversas: robles, hayas, olmos, castaños, etc. Suelen ser bosques compactos, con presencia de una sola especie, lo que facilita su explotación, y presentan un aspecto muy frondoso.
- La **landa** es un paisaje de arbustos y matorrales, que suele permanecer en suelos poco fértiles y que resulta de la degradación del bosque de hoja caduca. Puede llegar a poblar regiones muy extensas, como ocurre en la costa francesa.
- La **pradera** natural, formación herbácea que cubre grandes extensiones en laderas expuestas a las lluvias de origen oceánico. Suele aprovecharse para la cría de ganado vacuno.

La **red fluvial** es **densa,** con ríos de curso regular y sin estiajes acusados.

5.2. Las regiones de paisaje continental

El **paisaje continental** se localiza en la gran masa continental de América del Norte y de Eurasia. Ocupa una enorme extensión que abarca desde las áreas subtropicales, en el Sur, hasta las áreas polares, en el Norte. En el hemisferio sur no es posible encontrarlo, porque en las zonas correspondientes no existen áreas continentales suficientemente alejadas del mar.

Ese área de **clima continental** se caracteriza por el aislamiento respecto a los vientos procedentes del océano. Por esta razón, la oscilación térmica anual es muy acusada: en invierno las temperaturas descienden a muchos grados bajo cero, mientras que los veranos son muy calurosos. Las lluvias se concentran en verano, cuando el calor permite la formación de borrascas. En invierno llueve poco y lo hace casi siempre en forma de nieve, que se conserva muchos meses a causa del intenso frío.

La **red fluvial** se caracteriza por **grandes cuencas** con **ríos que llevan caudales importantes.** Eso se debe, más que al régimen de lluvias, que es muy variable, a que son regiones muy extensas, en las que los ríos han ido excavando grandes valles y una compleja red de afluentes.

La vegetación presenta tres formaciones que se suceden, de norte a sur:

- La **taiga** es un bosque formado por especies de hoja perenne –como los pinos y los abetos–, pero también de hoja caduca, más adaptadas al frío –como los alerces, los álamos o los abedules–. Bajo los árboles crece un sotobosque de musgos, líquenes y helechos que aprovechan la escasa alimentación que proporcionan unos suelos muy pobres.

Fuente: VVAA, *Meteorología y climatología*, Madrid, FECYT, 2004.

La taiga siberiana, con su mezcla de arbustos y coníferas adaptados al frío.

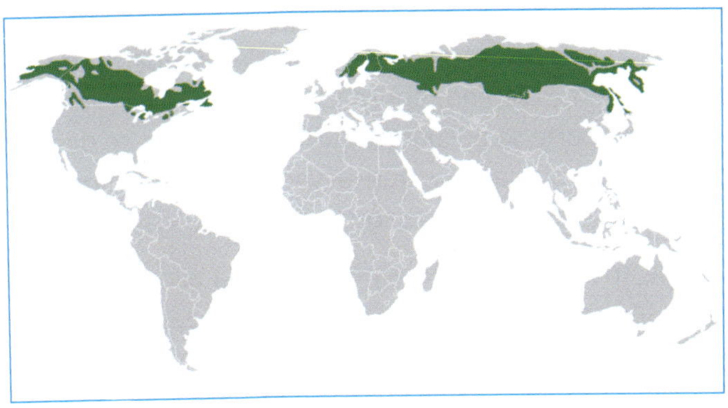

Las áreas de taiga en el planeta.

- El **bosque caducifolio** ocupa una franja estrecha, que llega a desaparecer en Asia central. Formado por robles y hayas, aprovecha las regiones donde las aguas son más abundantes.

- La **pradera** se sitúa más al sur, en aquellas regiones donde las lluvias son suficientes para que se desarrollen plantas herbáceas. Cuando avanzamos hacia el sur o hacia regiones en las que las precipitaciones son muy escasas, aparece la **estepa,** formada por pequeñas plantas adaptadas a la sequedad, como gramíneas, y que alternan con áreas sin vegetación.

Actividades

12 Dibuja un cuadro en tu cuaderno y escribe en él las principales características que presentan los paisajes oceánico y continental en relación con las zonas del planeta donde se encuentran, el tipo de ríos y los tipos de vegetación.

13 ¿Qué significa que el clima oceánico tiene poca amplitud térmica anual? Explica por qué se da este fenómeno.

14 Define los siguientes términos:

- Bosque caducifolio.
- Taiga.
- Pradera.
- Estepa.
- Landa.

6 Los paisajes fríos: las regiones polares y la alta montaña

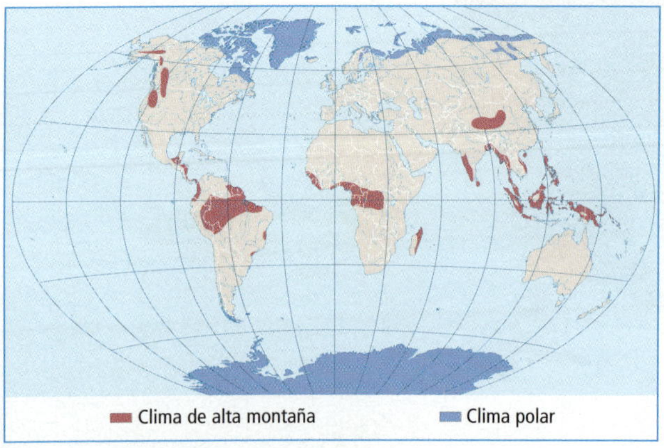

6.1. Las regiones polares

El límite entre la zona templada y la fría no es fácil de definir. Generalmente se acepta que son regiones frías aquellas en las que la temperatura media del mes más cálido no supera los 10 °C. La mayor parte del año las temperaturas son inferiores a 0 °C y las tierras emergidas permanecen bajo el hielo. Sólo durante el verano, la ligera subida de las temperaturas permite el deshielo en las regiones más próximas a las zonas templadas.

En realidad, las regiones polares de la Antártida tienen un clima más riguroso, al tratarse de un gran continente que, además, supera los 2.000 metros de altura sobre el nivel del mar, por término medio. En tales condiciones, el hielo cubre permanentemente la mayor parte de la región, por lo que no existe ningún manto vegetal. Alrededor del Polo Norte, por el contrario, se extiende el océano Glaciar Ártico, con una capa de hielos menor y que en verano tiende a fundirse en parte.

Fuente: H. Grobe, Wikipedia.

Tundra de Groenlandia en verano.

6.2. El paisaje polar

Este tipo de paisaje presenta dos variedades principales:

- El ***inlandsis*** es la enorme capa de hielos, de más de cinco metros de espesor en algunas zonas, que cubre el suelo de las regiones polares la mayor parte del tiempo. De él se desprenden regularmente, sobre todo en el verano, enormes masas de hielo, los **icebergs** –cuya mayor parte se encuentra sumergida–, que se desplazan por los océanos glaciares y que a veces alcanzan latitudes bajas, lo que los convierte en un peligro para la navegación.
- La **tundra** surge en las regiones más próximas a la zona templada, donde el hielo se funde algunos meses al año. Se caracteriza por plantas dispersas y raquíticas, de baja altura –como musgos, líquenes, sauces y alerces enanos–, que aprovechan la escasa insolación para desarrollarse. Conforme se avanza hacia la zona templada, la tundra da paso, en el centro de los continentes, a la **taiga.**

Los elementos del paisaje glaciar.

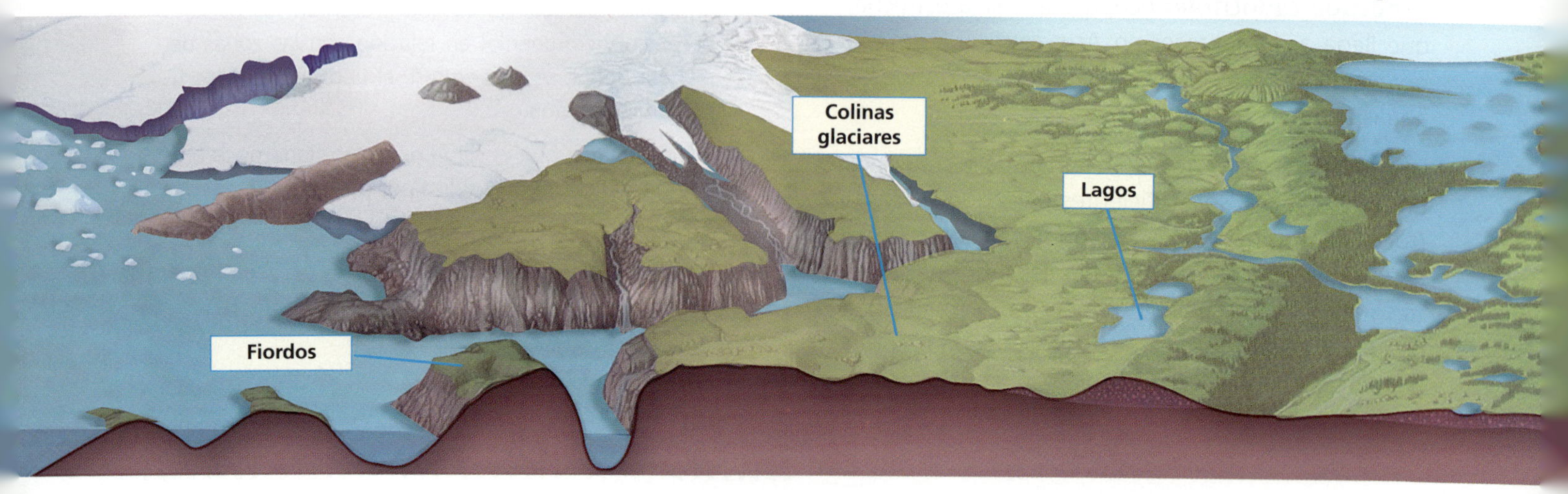

En tales condiciones, el poblamiento es escaso. Se limita a estaciones meteorológicas, bases militares y centros de investigación, así como a algunas poblaciones que, en Escandinavia, Alaska o Groenlandia, se dedican a la caza, la pesca o el pastoreo nómada.

6.3. El paisaje de alta montaña

Las zonas montañosas aparecen dispersas por toda la superficie terrestre. En general, su clima se va transformando al ascender en altura, con una disminución de temperatura que, por término medio, es de 6 °C cada 1.000 metros. Las precipitaciones son variables, irregulares y, a menudo, en forma de nieve.

Dado que tales condiciones se acusan conforme se asciende, la vegetación de las zonas de alta montaña aparece estratificada:

- En las zonas más bajas aparece el **bosque caducifolio** de robles y hayas, que aprovecha la acumulación de humedad en las faldas de la montaña.
- A mayor altura, el suelo comienza a degradarse: retiene menos humedad y la erosión de torrenteras y vientos hace disminuir el espesor de las capas que lo forman. Allí el **bosque de coníferas** sustituye al anterior. Según se asciende, las especies más frondosas van siendo sustituidas por otras más raquíticas.
- En las zonas de mayor altura aparecen **formaciones herbáceas** y la **pradera** de alta montaña alterna con áreas en donde aparece la roca, porque la nieve permanente y la erosión han impedido la formación de suelos.

Esta sucesión de paisajes se presenta a diferente altura según la **latitud** en la que se sitúe la alta montaña. En las cordilleras intertropicales (Andes, Kilimanjaro), las zonas de coníferas y de pradera se sitúan a gran altura, y a veces ni siquiera llegan a aparecer, porque la mayor temperatura de las áreas ecuatoriales permite que, a mayor altitud, sobrevivan especies propias de zonas bajas.

Por el contrario, en las zonas de alta montaña de las áreas templadas, la sucesión de paisajes se produce a menor altura. En las situadas a mayor latitud, los bosques se limitan a las zonas más bajas y pronto aparecen la pradera y las nieves perpetuas.

Elemento característico del paisaje de alta montaña son los **glaciares** y su efecto sobre el terreno: las formas de valles, circos y morrenas son bien visibles, incluso en áreas donde la masa de hielo ha desaparecido.

Fuente: Á. Martín Municio, *Ciencias de la naturaleza*, vol. 3, Barcelona, Planeta, p. 12.

Pradera de alta montaña en el lago Ercina, en Covadonga (Asturias).

Fuente: A. de Sostoa Fernández y X. Ferrer, *Naturaleza en Iberoamérica*, Madrid, Lunwerg/ICONA, 1992.

Bloques de hielo desprendidos de la morrena del glaciar de San Rafael (Chile).

Actividades

15 ¿Por qué no hay ríos en las zonas polares?

16 ¿De qué se alimentan los animales del Polo? Razona tu respuesta.

17 ¿Por qué motivos decimos que la alta montaña puede ser un medio favorable en la zona tropical y, sin embargo, constituye un medio hostil en la zona templada?

APÉNDICE

7 LECTURA E INTERPRETACIÓN DE MAPAS DE VEGETACIÓN

Los mapas de vegetación

Los mapas de vegetación sirven para representar la distribución de la vegetación en una región determinada. Además, a través del tipo de vegetación podemos deducir las condiciones climáticas, la clase de suelos, las características del relieve y la proximidad de fuentes de agua.

Los mapas de vegetación pueden ser:

- **Mapas de vegetación actual,** que muestran la que realmente existe.
- **Mapas de vegetación potencial,** que dan información sobre la vegetación que existía antiguamente, en relación con las características del paisaje natural, anterior a la intervención humana.

Para representar en los mapas los diferentes tipos de vegetación se utilizan distintas técnicas cartográficas. Las más usuales son los colores y las tramas de rayas o puntos, con diferentes sombreados o fondos. Su significado suele precisarse en las leyendas utilizándose colores para definir la mayor o menor humedad y temperatura:

- La humedad intensa se representa con azul oscuro, el amarillo indica humedad media y el naranja, la sequedad.
- La temperatura elevada se cartografía con el color rojo, la media en amarillo y el gris indica ambiente frío.
- La ausencia de vegetación se indica con color blanco, superponiendo un punteado de color que indica la temperatura.

Los tipos de vegetación llevan colores que resultan de la mezcla de aquellos que definen sus rasgos de temperatura y humedad. Así, por ejemplo, un bosque tropical se representa en violeta, resultado de mezclar el rojo de la elevada temperatura con el azul de la humedad. Un desierto frío se cartografía en un gris anaranjado, mientras que un desierto cálido sin vegetación irá en blanco con puntos rojos.

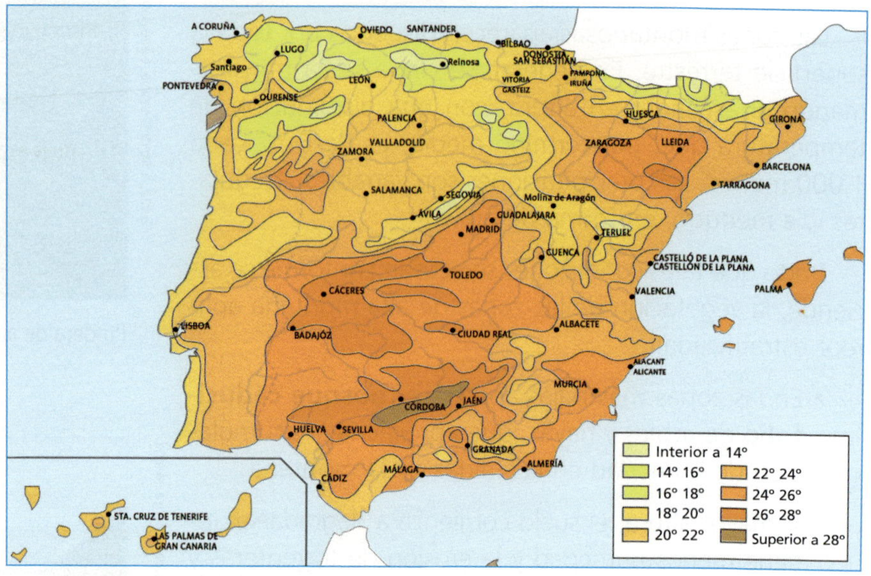

Mapa de temperaturas medias de un mes de julio en España.

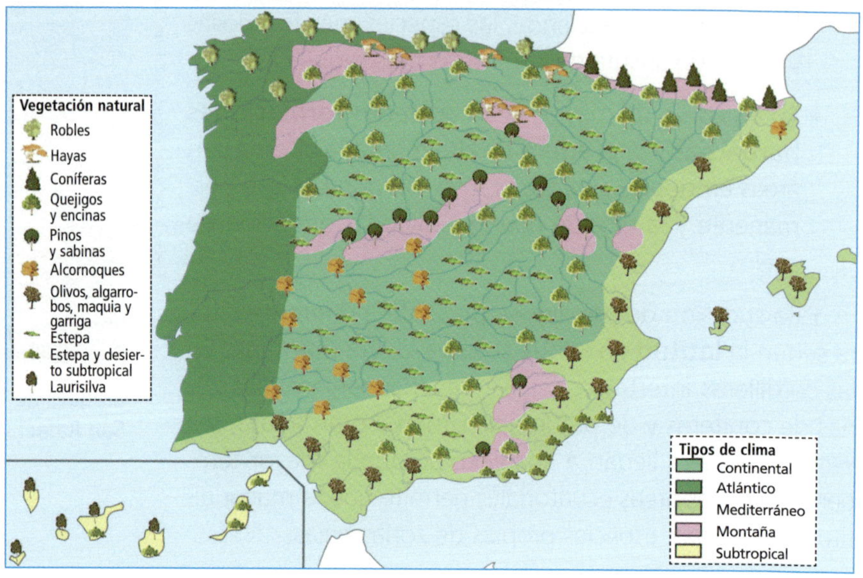

Mapa de vegetación de España.

Cuando un paisaje cambia de vegetación de forma rotunda entre el verano y el invierno se suele cartografiar con franjas alternas, paralelas, que recogen ambos tipos de flora.

Además de los colores, también se utilizan diversos símbolos para indicar los tipos de vegetación, lo que facilita la diferenciación y la lectura del mapa.

Cliseries

Se denomina **cliseries** a las representaciones en altura de los diferentes tipos de vegetación que se dan en una región montañosa. Se trata de un corte vertical, que se gradúa en distintas alturas y en el que se sitúan en cada altura las especies vegetales características, llamadas **pisos altitudinales.** El escalonamiento de la vegetación se debe a la disminución progresiva de la temperatura causada por la altitud, así como al aumento de la humedad.

El número de escalones o pisos altitudinales varía según la altura del macizo montañoso, pero también es diferente según se trate de las zonas expuestas al sol **(solana)** o protegidas de él **(umbría).** En las áreas de solana, las especies de los escalones inferiores alcanzan mayor altura, mientras que en las de umbría las inferiores se ven sustituidas por las superiores a menor altura.

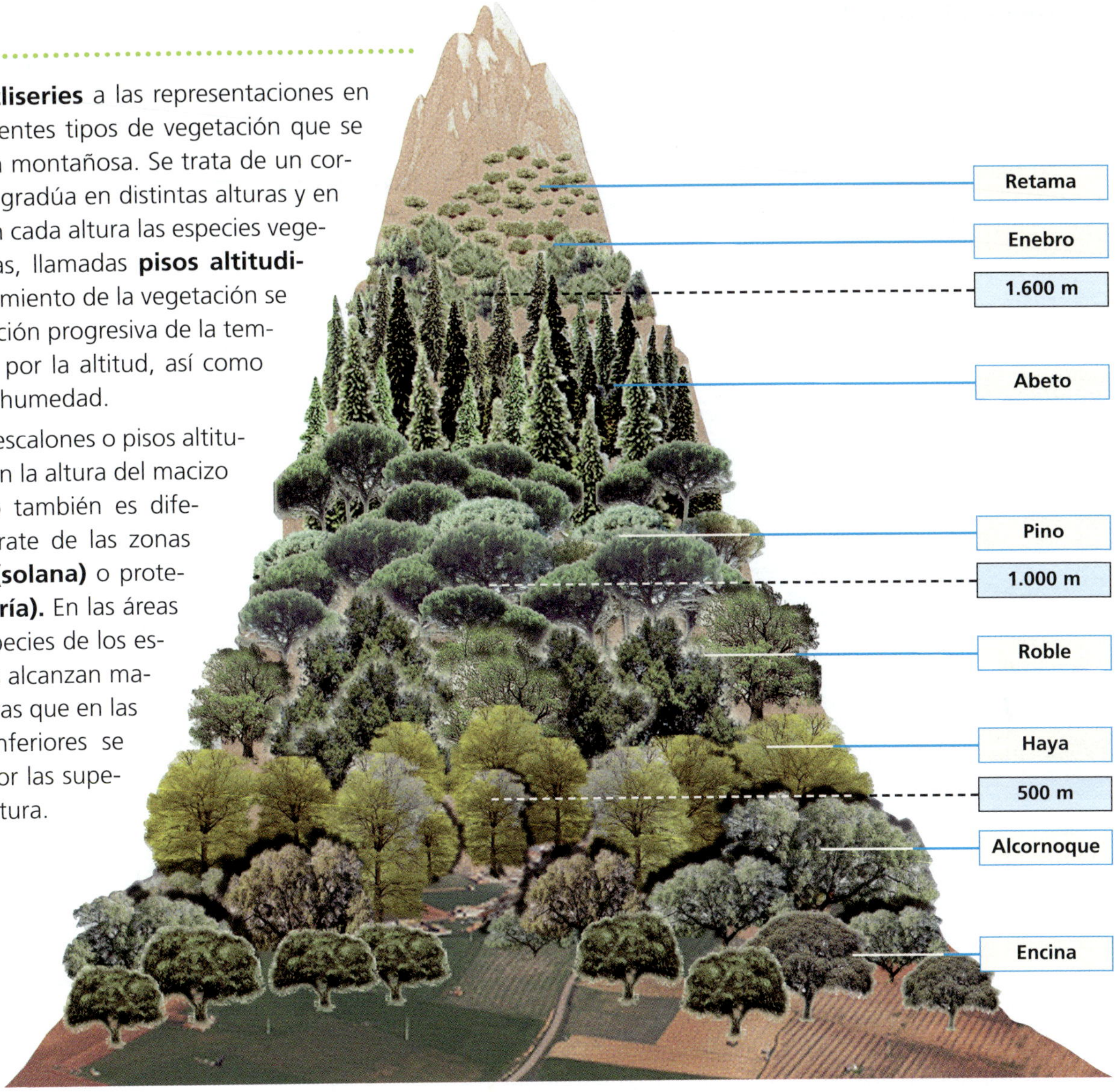

Cliserie con vegetación de alta montaña.

ACTIVIDADES

1 Copia en tu cuaderno un mapa mudo de la península Ibérica. Colorea tu Comunidad Autónoma, señalando con un punto la localidad en la que vives. Después de estudiar esta unidad, ¿con qué paisaje crees que se corresponde?, ¿cuáles son sus características?

2 ¿Por qué crees que un mapa de vegetación nos permite conocer la clase de suelo o la proximidad de agua?

3 Si ya no existe vegetación, ¿cómo crees que se puede elaborar un mapa de vegetación potencial?

4 Explica las razones por las que en una montaña pueden darse diversas clases de vegetación.

5 ¿Por qué un desierto frío se cartografía en color gris anaranjado y un desierto cálido en blanco con puntos rojos?

6 ¿Cuántos escalones o pisos altitudinales podría tener una cliserie de una montaña situada en la Antártida? Razona tu respuesta.

7 Dentro del contexto de los mapas de vegetación, explica el significado de las siguientes palabras:

- Potencial
- Tramas
- Cartografía

PRACTICA COMPETENCIAS

Competencia en el conocimiento y la interacción con el mundo físico

1 Con la ayuda de un atlas busca las siguientes zonas e indica a qué continente pertenecen y cuál es su paisaje característico:

Amazonas • California • Nilo • Bengala
Kalahari • Groenlandia • Andes

2 Fíjate en la siguiente imagen. ¿Qué tipo de paisaje es y a qué clima corresponde? Razona tu respuesta.

Tratamiento de la información y competencia digital

3 Entra en la página web <http://www.greenpeace.org/espana/es>, busca el enlace «bosques» y responde a las siguientes cuestiones:

a) ¿A qué denominamos bosques primarios?
b) ¿Dónde se encuentra el mayor bosque primario de la Tierra?
c) ¿Qué porcentaje de especies animales viven en ellos?
d) ¿Qué está provocando su desaparición?
e) ¿En qué lugares se encuentran los últimos bosques primarios de la Tierra?

4 Teclea en tu buscador «desiertos cálidos», entra en la página <www.barrameda.com.ar> y contesta a las siguientes cuestiones:

a) ¿Qué superficie de la Tierra ocupan los desiertos cálidos?
b) ¿Cuál es su precipitación media anual?
c) ¿Y su temperatura media anual?
d) ¿Qué clases de animales viven en estos desiertos?

5 Teclea en tu buscador «selva virgen», entra en la página <www.barrameda.com.ar> y contesta a las siguientes cuestiones:

a) ¿Cuál es su precipitación media anual?
b) ¿Y su temperatura media anual?
c) ¿Es fértil el suelo? ¿Por qué?

Competencia en comunicación lingüística

6 En la siguiente sopa de letras encuentra ocho palabras relacionadas con la vegetación:

S	G	A	S	I	T	A	P
E	A	Ñ	G	H	M	R	R
U	R	B	E	E	A	D	A
Q	R	O	A	I	D	N	D
S	I	U	C	N	N	U	E
O	G	A	G	I	A	T	R
B	A	L	S	E	L	V	A
L	A	R	E	M	L	A	P

7 Explica el significado de las siguientes expresiones:

a) Lenguaje cotidiano.
b) Vegetación exuberante.
c) Degradación constante del suelo.
d) Régimen de precipitaciones.
e) Estiaje prolongado.

Competencia para aprender a aprender

8 Completa en tu cuaderno el siguiente cuadro:

LUGAR	PAISAJE	VEGETACIÓN	PRECIPITACIONES
Valencia			
Brasilia			
Antártida			
Riyadh			
Londres			

9 Los paisajes naturales no están igualmente repartidos. Indica los lugares en los que apenas quedan y aquellos en los que son más abundantes. Razona tu respuesta.

10 Señala si los siguientes elementos pertenecen a un tipo de paisaje natural o humano:

Cultivos • Vías de comunicación
Relieve • Minas • Fauna

11 Indica a qué paisaje corresponden las siguientes vegetaciones:

Palmeral • Sabana
Garriga • Pradera • Tundra

12 Indica, de cada una de las siguientes características, la zona climática cálida, templada o fría a la que pertenece:

a) Es la más importante reserva animal del planeta.

b) La mayoría de los frentes lluviosos descargan en las costas.

c) Está prohibida la explotación de los recursos mineros.

d) La acción del ser humano está afectando mucho al paisaje.

13 Contesta razonando la respuesta:

a) ¿En qué zona climática hay dos estaciones, una seca y otra húmeda, muy diferenciadas?

b) ¿En qué zona climática no hay invierno?

c) ¿En qué zona climática se da una oscilación térmica muy acusada: inviernos muy fríos y veranos muy cálidos?

14 Describe en tu cuaderno los siguientes tipos de vegetación:

Sabana • Landa
Taiga • Tundra

15 Relaciona en tu cuaderno las palabras que aparecen en las siguientes columnas:

Humus •	• Río
Caoba •	• Morrena
Congo •	• Suelo
Líquenes •	• Selva
Glaciar •	• Garriga
Desierto •	• Atacama
Mediterráneo •	• Tundra

Autonomía e iniciativa personal

16 Copia en tu cuaderno un cuadro como el que aparece a continuación. Rellénalo a partir de la información que hayas obtenido de la web, de obras de referencia o de entrevistas a otras personas, y realiza un trabajo en el que defiendas tu punto de vista.

Ventajas del pueblo sobre la ciudad	Ventajas de la ciudad sobre el pueblo

17 Estas dos fotografías corresponden a la población de Benidorm (Alicante), aunque tomadas con muchos años de diferencia.

Compáralas y realiza un comentario en el que tendrás en cuenta los siguientes aspectos:

- ¿Cómo son estos paisajes? ¿Por qué?
- Explica las razones que han podido llevar al ser humano a realizar tantos cambios.
- ¿Crees que esos cambios son beneficiosos o perjudiciales para el entorno? ¿Y para el ser humano? Razona tus respuestas.
- ¿Conoces alguna población de tu comunidad o provincia que haya sufrido transformaciones semejantes? ¿Qué motivos determinaron los cambios?
- ¿Toman medidas las autoridades para preservar los paisajes naturales? En caso de que la respuesta sea negativa, ¿crees que deberían tomarse? ¿Por qué?

PÁGINAS WEB

Las siguientes páginas web te pueden ayudar en el estudio de esta unidad:

Instituto de Tecnologías Educativas:

http://www.isftic.mepsyd.es

Para que conozcas todas las especies del mundo, por continentes, que están en peligro de extinción:

www.animales-en-extincion.com

Mapa interactivo que te permitirá conocer el clima de cualquier punto del mundo:

www.educaplus.org/climatic/05_clim_climasmundo.html

Los medios naturales y la sociedad humana

«La ciudad no sólo se limita a contaminar el entorno. Necesita, para mantenerse, materias primas y recursos naturales que ella misma no puede generar: agua, maderas, piedras, energía, alimentos, etc. Todo lo ha de conseguir en la naturaleza, la que tiene cerca o la que está más lejos. Productos, todos ellos, que llegan a través de una red de carreteras, ferrocarriles, puertos y aeropuertos. Redes que se extienden por el espacio entre ciudades.»

Santiago PASTRANA, «El impacto de la ciudad en el medio ambiente», *Geografía* en *La guía 2000* [http://geografia.laguia2000.com].

- ¿Qué es un ecosistema? ¿Qué podría ocurrir si desapareciera uno de sus eslabones?
- ¿Qué consecuencias tiene la contaminación para los seres vivos?
- ¿Cuáles son las ventajas que tiene el reciclaje? ¿Qué debes depositar en cada uno de los contenedores?

5

El crecimiento de la población mundial y el desarrollo tecnológico han traído consigo, a lo largo de los últimos dos siglos, un grado de transformación de los paisajes naturales que no tiene precedentes en la historia del planeta. Uno de sus efectos más visibles es la expansión de las grandes ciudades, como Hong Kong.

1 El paisaje humanizado. Medios favorables y desfavorables para el ser humano

Lisboa es un buen ejemplo de ocupación del medio natural, gracias a las condiciones favorables que ofrecía la desembocadura del río Tajo.

1.1. El paisaje humano

El medio natural constituye un **ecosistema*,** es decir, es el resultado de la relación entre muchos factores: clima, relieve, suelo, agua, vegetación, fauna. Cada uno de esos agentes, si se modifica, puede alterar el equilibrio del ecosistema, cambiando el medio primitivo. Por eso, la intervención humana, que en el mundo actual es muy agresiva, está produciendo una constante alteración del paisaje natural.

Los **paisajes humanos** o **humanizados** son todos aquellos en los que, en mayor o menor medida, la acción humana ha introducido modificaciones.

El grado de transformación que experimentan los paisajes naturales como consecuencia de la actuación humana es muy variable. En algunos casos, la alteración es casi imperceptible. En otros, el paisaje natural ha desaparecido por completo, como ocurre en las grandes ciudades.

1.2. La acción humana sobre el medio

La intensidad de las transformaciones depende, sobre todo, de dos factores: la antigüedad de la actuación humana y el nivel de desarrollo tecnológico.

Los paisajes están muy modificados en las zonas del planeta que fueron ocupadas en épocas remotas. Podemos distinguir tres fases a lo largo de la historia en la relación del ser humano con el medio natural:

- En la **Prehistoria,** las comunidades eran **nómadas,** se dedicaban a la **caza** o a la **recolección** de frutos **(sociedad depredadora).** En esas condiciones, el ser humano se adaptaba plenamente al medio natural, que permanecía inalterado.

Conceptos

Ecosistema: conjunto de relaciones de intercambio que establecen los seres vivos entre sí y con el medio en el que viven, las cuales condicionan su existencia. El ecosistema tiende a conseguir un equilibrio que puede ser fácilmente alterado o destruido.

- El descubrimiento de la agricultura y la ganadería, hace unos 10.000 años, llevó a la **sedentarización (sociedad agrícola).** A partir de ahí, se inicia la acción transformadora del ser humano: se cultiva la tierra, se talan los árboles y se construyen viviendas. Pronto aparecen las **primeras ciudades** y se comienzan a explotar los recursos minerales. Surge, así, un paisaje humanizado que, no obstante, durante miles de años mantuvo un cierto equilibrio con el medio natural, que se conservó en amplias zonas del planeta.
- Desde el siglo XVIII, con la **industrialización** de las sociedades más desarrolladas y los avances tecnológicos **(sociedad industrial),** se inicia la fase moderna, en la que la acción del ser humano resulta mucho más agresiva sobre el paisaje natural.

Los paisajes más transformados son, de este modo, los de los países que han alcanzado un mayor nivel de desarrollo económico y tecnológico, como ocurre en general en la zona templada del planeta.

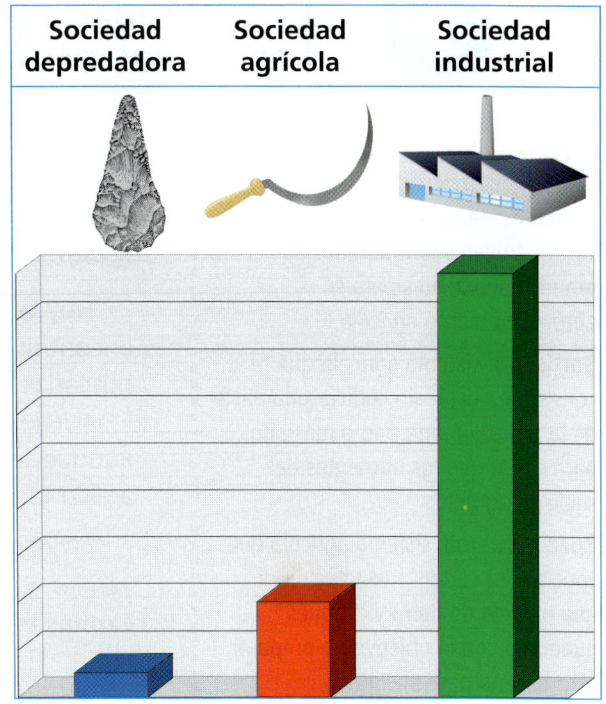

Impacto de la acción humana sobre el medio a lo largo de las tres fases del desarrollo histórico.

1.3. Las condiciones para la vida humana. Medios favorables y desfavorables

La **diversidad del planeta** da lugar a **medios naturales** de **características muy distintas.** Algunos son propicios para la vida humana, otros son claramente desfavorables.

Entre las **condiciones más favorables** para la ocupación humana se encuentran los climas moderados, la topografía llana, la escasa altitud, la existencia de agua potable, la fertilidad del suelo y las facilidades de comunicación. Casi todas las zonas densamente pobladas a lo largo de la historia reúnen la mayor parte de estas características. Por el contrario, su ausencia explica que haya grandes regiones del planeta casi despobladas.

Los **medios más favorables** para la ocupación humana son las regiones templadas, las áreas tropicales próximas al mar o de media altura, las regiones costeras y los valles de los grandes ríos.

Los **medios más desfavorables** son las regiones polares, las de alta montaña, los desiertos cálidos y las selvas tropicales.

Actividades

1 Explica qué es un ecosistema e indica qué factores lo condicionan.

2 Observa el gráfico de barras de arriba y explica en qué fases de la historia la acción humana ha transformado el medio natural de forma más profunda.

3 Localiza en un mapa la ciudad de Lisboa y explica qué factores favorables llevaron a sus primeros pobladores a escoger ese lugar para ubicar la ciudad.

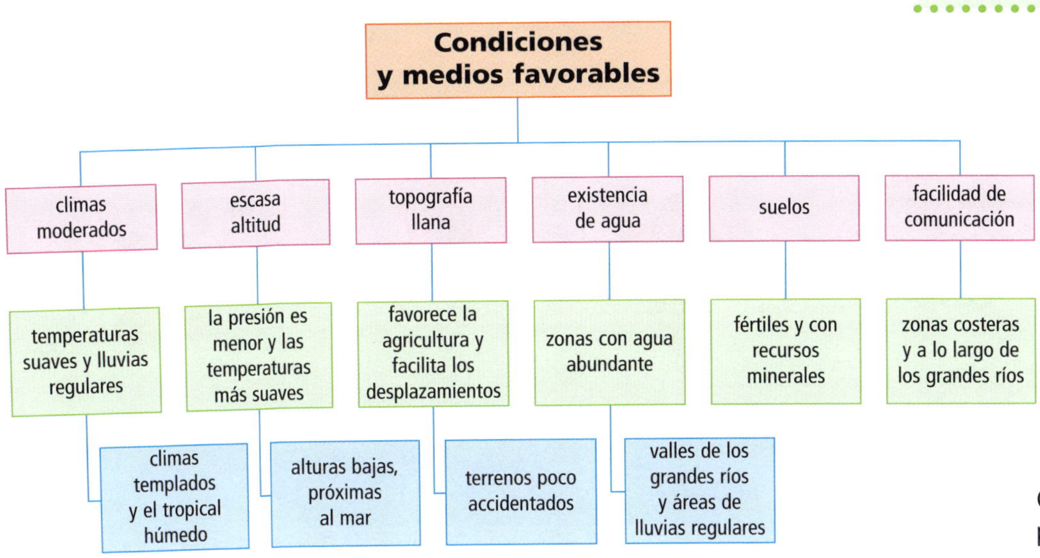

Condiciones y medios favorables para la ocupación humana.

2 La diversidad de condiciones de vida sobre la Tierra. Los medios cálidos y fríos

Conceptos

Bancales: terrazas horizontales que se construyen sobre terrenos con grandes pendientes para su aprovechamiento agrícola.

Barbecho: sistema agrícola que consiste en dejar sin cultivar una parte de la tierra durante uno o más años, para evitar que los nutrientes del suelo se agoten.

Roza y quema: sistema agrícola que consiste en cortar la vegetación de una parcela de tierra y después quemarla con el objetivo de preparar este terreno para el cultivo (las cenizas sirven de fertilizante para los cultivos).

Fuente: N. Myers, *Selvas tropicales*, Barcelona, Plaza & Janés, 1993, p. 137.

Tala de árboles en la selva amazónica.

2.1. La diversidad de condiciones de vida sobre la Tierra

Los **medios naturales del planeta** son muy **diversos** y plantean **condiciones de adaptación para el ser humano** muy **desiguales.**

Hoy la mayor parte de la Tierra está, en mayor o menor medida, humanizada. Para encontrar zonas extensas en las que no sea apreciable la huella del hombre hay que buscarlas en ambos Polos, en algunas selvas ecuatoriales o en áreas de alta montaña. E, incluso allí, comienzan a ser evidentes las consecuencias de la intervención humana, aunque sea de forma indirecta: la contaminación y el cambio climático han empezado a alterar paisajes hasta ahora intactos.

Podemos distinguir, sin embargo, dos grandes conjuntos: las **zonas cálidas y frías,** en las que el poblamiento es menor y la transformación del paisaje más reducida, y **las zonas templadas,** completamente modificadas y humanizadas.

2.2. Las selvas ecuatoriales

En las selvas ecuatoriales **el poblamiento es escaso.** Está compuesto por tribus primitivas, como los indígenas del Amazonas o los pigmeos africanos, y **se concentra en las costas, mesetas y montañas** en las que la vegetación es menos densa. Viven de la recolección, la caza y la pesca, aunque algunas tribus cultivan la tierra mediante la **roza** y la **quema*,** un método rudimentario que es compatible con el ecosistema natural. Mediante él, se obtienen cultivos como la **mandioca** o la **batata.**

De la selva se obtienen la caña de azúcar, el cacao y maderas muy apreciadas, como el ébano, la caoba o la teca. También se extrae el caucho, a partir de la savia de la hevea.

Las culturas indígenas están actualmente en peligro, ante el avance de la deforestación que practican las compañías madereras multinacionales y los gobiernos.

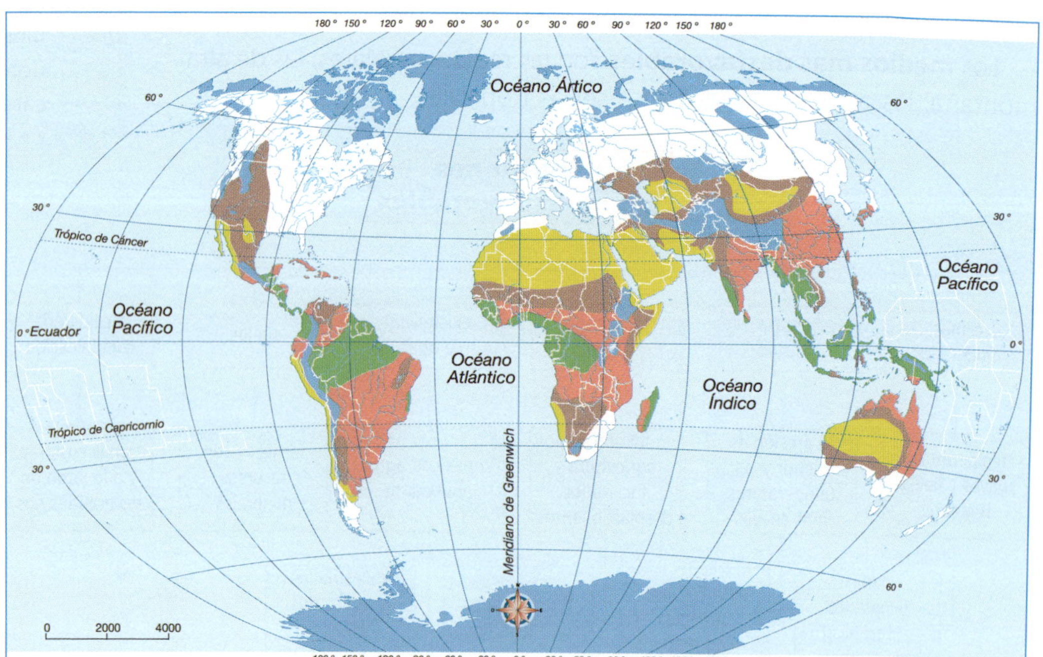

Localización de los medios cálidos y fríos en el planeta.

- Selvas ecuatoriales
- Áreas tropicales secas (sabanas)
- Áreas tropicales húmedas
- Desiertos
- Zonas polares y de alta montaña

2.3. Las áreas tropicales

En las zonas de sabana la **población tiende a concentrarse cada vez más en grandes ciudades.** Sin embargo, aún subsisten tribus de pastores nómadas o agricultores dedicados al mijo y la mandioca, como los **podokos** de Camerún o los **masáis** de Kenia. Es un cultivo extensivo rudimentario, para el que se usan las cenizas del rastrojo y el barbecho* y que sólo permite la subsistencia de colectivos muy reducidos. Éstos complementan su alimentación con el pastoreo de vacas.

Desde el siglo XIX, los europeos explotan también el área tropical mediante **plantaciones,** grandes extensiones dedicadas al monocultivo de productos como la caña de azúcar, el té o el café y que resultan rentables a base de pagar salarios muy bajos a los trabajadores indígenas. Además, esas plantaciones sí alteran sustancialmente el medio natural primitivo.

Los **desiertos cálidos** del área subtropical están **casi deshabitados.** Sólo hay **tribus nómadas** (como los **beduinos** de Arabia, los **bosquimanos** del Kalahari o los **tuaregs** saharianos), que practican el pastoreo y el comercio, así como algunos poblados allí donde los oasis o modernas obras de regadío permiten la agricultura.

La expansión del desierto hace difícil la supervivencia y los conflictos son frecuentes entre las etnias que se disputan un medio particularmente hostil por la falta de agua. La **explotación de los minerales y de los recursos energéticos,** como el gas o el petróleo, ha transformado profundamente el medio, como ocurre en los países de la península Arábiga.

Los **desiertos fríos,** como los de Gobi, Patagonia o Takla Makán, también presentan **condiciones extremadamente duras,** por lo que su población es igualmente escasa. Un buen ejemplo es Mongolia, con más de 1,5 millones de km^2 (el triple que España) y sólo 2,5 millones de habitantes.

Tribu masái de Kenia.

Fuente: *50 lugares de ensueño*, Madrid, El País, 2001.

Plantación de arroz en Hoi An, Vietnam.

2.4. Las zonas frías

A causa del intenso frío y del hielo permanente, **las dos zonas polares están prácticamente deshabitadas:** sobre el 25% de la superficie terrestre vive sólo el 0,02% de la población. Dicha población la constituyen algunos pueblos cazadores y pastores nómadas, como los **inuit** de Alaska o los **lapones** escandinavos, que viven en los límites del territorio, además de ciertas bases científicas y militares. En el caso de la Antártida, mayor reserva de agua mundial y con importantes recursos energéticos y minerales, un tratado internacional prohíbe su explotación hasta el año 2025. Por todo ello, constituye uno de los paisajes naturales mejor conservados hasta el momento.

En las **áreas de alta montaña** también el **poblamiento es escaso.** Sin embargo, en las zonas situadas en las regiones intertropicales el clima es relativamente benigno y, por encima de los 2.000 m de altitud, hay una población abundante, como en las altiplanicies mexicana o andina, y también en Etiopía. Mantienen una agricultura tradicional, que incluye la construcción de bancales* para aprovechar la tierra en desnivel de las montañas, con la presencia, incluso, de grandes ciudades, como es el caso de Ciudad de México.

Actividades

4 Busca información sobre estos materiales y di para qué se usan: caucho, caoba, teca y ébano.

5 Señala en tu cuaderno en qué medios naturales se realizan los siguientes tipos de explotación:

a) El cultivo de roza y quema.
b) La extracción de petróleo.
c) El cultivo de la mandioca.
d) La caña de azúcar.

6 Entre la agricultura de subsistencia y la explotación maderera de las grandes compañías, ¿cuál de las dos crees que es más agresiva para el medio natural? Razona tu respuesta. Si lo crees necesario, consulta en libros de referencia o haz una búsqueda en internet.

3.1. La zona templada: un medio completamente transformado

La **mayoría de la población mundial** vive en la **zona templada** y, especialmente, en el **hemisferio norte,** donde se halla la mayor parte de las tierras emergidas. Es la zona más apta para la vida por sus condiciones climáticas y topográficas y también aquí surgieron las más antiguas civilizaciones.

La concentración es mayor en las zonas costeras de Europa, en el norte de África, en los valles de los grandes ríos europeos y asiáticos, y en las penínsulas del sur de Asia, como Indostán o Indochina. También es abundante en los archipiélagos del Índico y del Pacífico y en la región oriental de China. En América se concentra en las regiones costeras de ambos subcontinentes.

La maquinaria agrícola ha acentuado la explotación agrícola, sobre todo en los medios templados.

3.2. Una intensa explotación agraria

A lo largo de los siglos, el ser humano fue extendiendo los cultivos, de forma que el paisaje agrícola fue sustituyendo a la vegetación natural y al bosque. Al mismo tiempo se modificaba la topografía, con el allanamiento de terrenos irregulares, la construcción de bancales en las laderas y la desecación de los pantanos.

La **agricultura tradicional** presenta dos variedades:

- **Cultivos extensivos:** son aquellos que utilizan una extensión de tierra muy grande y que obtienen un rendimiento moderado por unidad de superficie. Aparecen en medios con escasez de agua y suelos de fertilidad reducida. Los cereales son un buen ejemplo y dan lugar a paisajes monótonos, con grandes extensiones de espigas.
- **Cultivos intensivos:** son los que obtienen un alto rendimiento por unidad de superficie, gracias a la riqueza del suelo y a un uso abundante de agua y nutrientes. Un ejemplo perfecto lo constituye la horticultura*, que permite obtener buenas cosechas en espacios muy reducidos.

Conceptos

Escorias: materias que se desechan y eliminan en determinados tratamientos mineros y metalúrgicos.

Horticultura: tipo de agricultura especializada en el cultivo de hortalizas, frutos y flores.

Infraestructuras: en geografía humana, definen todas las redes de transporte, servicios e instalaciones realizadas por el hombre para asegurar el hábitat.

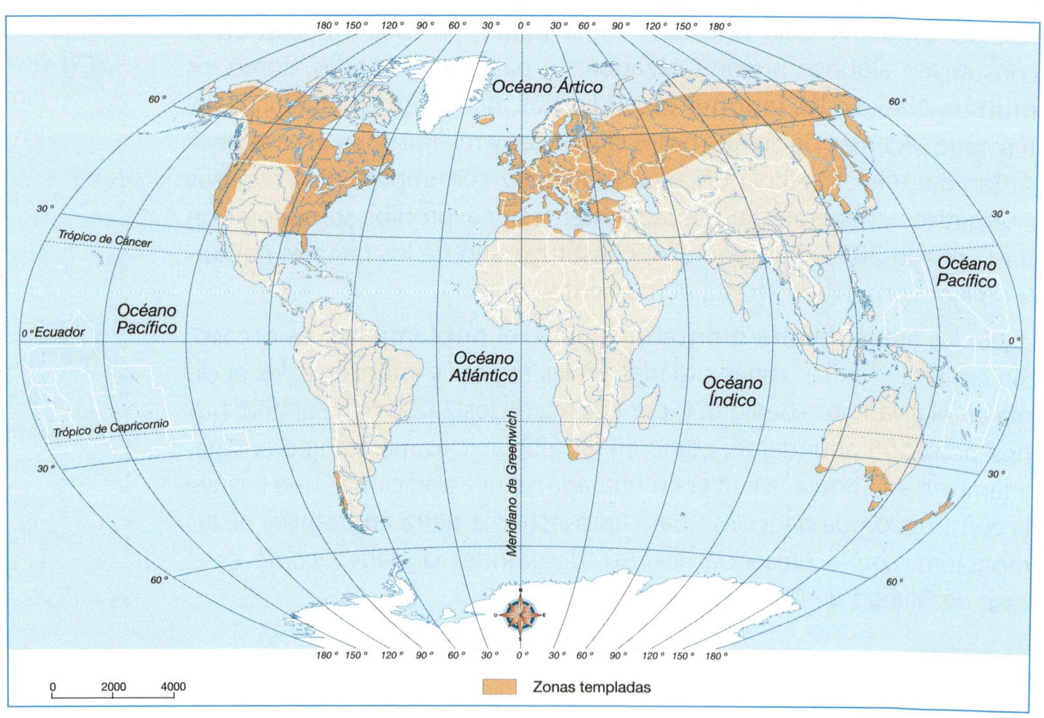

Localización de los medios templados en el planeta.

En la mayor parte de la zona templada, los paisajes actuales presentan extensas superficies dedicadas a la agricultura o a la explotación ganadera.

La **agricultura moderna,** sin embargo, permite transformar los viejos sistemas por métodos de cultivo tecnológicamente muy avanzados, que consiguen rendimientos muy altos en suelos antes poco rentables. Los cultivos de invernadero, con sus extensos paisajes cubiertos de plástico, o las instalaciones de floricultura y jardinería, son hoy imágenes habituales del medio rural en las regiones templadas.

3.3. El poblamiento

Llamamos **hábitat** a la forma en que se asientan las viviendas en el medio geográfico. Puede ser rural o urbano, según se inserte en paisajes agrarios o, por el contrario, se concentre en ciudades de medio y gran tamaño.

En el **ámbito rural** podemos encontrar viviendas aisladas **(hábitat disperso)** o agrupadas en pequeñas poblaciones, pueblos o aldeas **(hábitat concentrado).** A las viviendas se añaden los edificios asociados a la explotación agraria: graneros, cuadras, corrales, molinos, etc., y también cercas, setos artificiales, alambradas y otros medios de delimitación de tierras. Aunque en ocasiones son puntos aislados en el paisaje, lo habitual es que se conviertan en elementos predominantes, hasta el punto de transformar el medio.

Las ciudades, por su parte, ocupan grandes zonas y cada vez se extienden más, porque **la población tiende a concentrarse** y a trasladarse del campo a las ciudades. El medio urbano es, por definición, lo contrario del paisaje natural y podemos considerarlo como la transformación más profunda que puede producirse del mismo.

3.4. Redes de comunicación e infraestructuras*

Son el resultado de la **expansión del hábitat** y de la **necesidad de comunicación y de movimiento de la especie humana.**

Actualmente, incluso en los medios más apartados pueden contemplarse caminos rurales, carreteras, puentes, canales, líneas ferroviarias, tendidos y estaciones eléctricos, antenas, etc. A eso hay que añadir otras intervenciones humanas de gran calado, como son los embalses, las presas hidroeléctricas o las grandes instalaciones fabriles o energéticas. También se multiplican las instalaciones turísticas y de ocio en los parajes naturales. Todo ello altera profundamente el paisaje natural.

Actividades

7 Diferencia entre cultivos intensivos y extensivos.

8 Define «hábitat concentrado» y «hábitat disperso».

9 Enumera cinco tipos de sistemas de comunicación.

10 Observa la imagen de las minas de Riotinto y describe el paisaje que ha determinado la explotación.

¿Sabías que...?

La extracción de recursos minerales o de fuentes de energía fósiles, como el carbón o el petróleo, también transforma el paisaje natural.

En regiones como la cuenca del Mediterráneo, las actividades mineras son antiquísimas y han provocado cambios profundos, tanto en superficie (en las minas a cielo abierto o en el exterior de los pozos petrolíferos) como en profundidad. Lo mismo sucede con la extracción de piedra, arcillas y áridos de las canteras para la construcción.

En las regiones mineras han desaparecido montañas, se han acumulado escorias* y se ha modificado el manto vegetal. A veces, el lavado del suelo junto a las minas o el uso de elementos como el mercurio o el azufre para transformar el mineral han cambiado la composición del suelo y modificado su aspecto superficial y estructura interna. Además, las construcciones asociadas a las minas (viviendas, pozos, maquinaria, líneas férreas) dan lugar a un paisaje característico.

Las minas de Riotinto (Huelva), explotadas durante siglos y hoy agotadas, son un buen ejemplo de la profunda transformación que la explotación minera produce en el medio natural.

Carretera de circunvalación de Madrid.

4 Los riesgos derivados de la acción humana. La contaminación

Principales agentes de contaminación humana.

4.1. Tecnología y medio ambiente

El siglo XX ha traído consigo un **desarrollo científico y tecnológico espectacular.** Ese desarrollo, que se extiende lentamente a los países hasta ahora menos avanzados, tiene como consecuencia positiva un aumento de la esperanza de vida y del bienestar. Sin embargo, también acarrea serios problemas para el futuro, porque provoca una alteración del medio ambiente y una ruptura de los ecosistemas que pone en peligro la supervivencia del planeta.

La **contaminación** es la introducción en el medio natural de sustancias nocivas en cantidades superiores a las que la naturaleza es capaz de eliminar. Los procesos de contaminación son múltiples, pero los podemos agrupar en tres clases: la contaminación **del aire, del suelo y del agua.**

4.2. La contaminación del aire

Los principales causantes de la contaminación del aire son la obtención de materias primas y fuentes de energía, la industria, los medios de transporte y las calefacciones.

Los principales agentes de la contaminación atmosférica son los gases que resultan de la combustión de combustibles fósiles (carbón, gas y petróleo). Su acumulación en la atmósfera se ha disparado en las últimas décadas como consecuencia del incremento del consumo de energía. Otros gases peligrosos son **los clorofluorocarbonos** (CFC), usados en aerosoles y sistemas de refrigeración.

Las consecuencias de la contaminación atmosférica son gravísimas. La más visible, aunque no la más grave, es la densa capa de polución que cubre las grandes ciudades, que se multiplica en invierno por efecto de las calefacciones y también en periodos anticiclónicos largos, cuando la estabilidad de la atmósfera y el mayor peso del aire impiden que se disperse la contaminación.

Las consecuencias más graves son:

- La **lluvia ácida:** los gases y partículas contaminantes se difunden por la atmósfera, hasta que la lluvia las hace descender al suelo, a veces a enormes distancias del lugar de emisión. La lluvia ácida está alterando la vegetación natural de amplias zonas del planeta y plantea graves peligros para la conservación de la flora, además de trasladarse a la fauna a través de la alimentación.
- El **agujero en la capa de ozono de la atmósfera:** los gases CFC, muy estables, destruyen la capa de ozono que, en la troposfera, filtra la radiación solar y nos protege de ella. Detectado como un gran agujero sobre la Antártida en la década de los noventa, se han tomado medidas drásticas para sustituir estos gases por otros, pero la falta de ozono aún es importante.
- El **efecto invernadero:** la acumulación de agentes contaminantes en las capas inferiores de la atmósfera impide que parte de la radiación solar que llega a la superficie pueda volver al espacio exterior. El efecto es la subida de las temperaturas en superficie, lo que conocemos como **calentamiento global.**

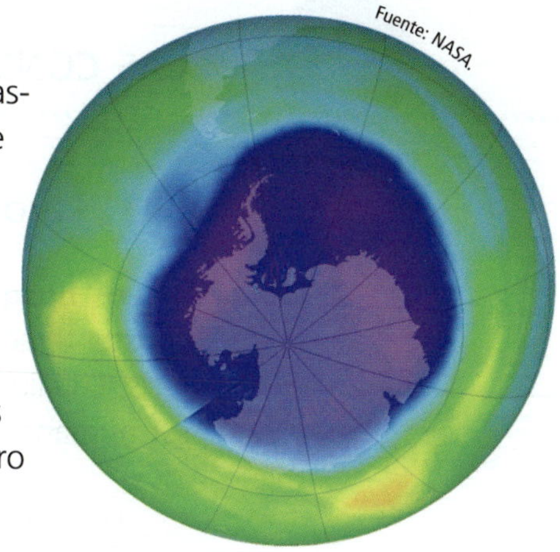

Estado del agujero sobre la Antártida en la capa de ozono de la atmósfera, en una imagen del año 2000.

4.3. La contaminación del suelo

La contaminación del suelo se produce por la **doble acción de la lluvia ácida y de la contaminación ambiental.** El exceso de azufre y nitrógeno empobrece los suelos, va arruinando los bosques y pone en peligro a las especies más sensibles.

Otra forma de contaminación procede del **uso de abonos químicos y de pesticidas.** Sus elementos químicos alteran el equilibrio del suelo y pasan a la cadena alimentaria a través de las plantas.

4.4. La contaminación de las aguas continentales

Los ríos y lagos contienen bacterias que eliminan los agentes extraños que, de forma natural, caen al agua. El problema surge de los agentes contaminantes producidos por el ser humano en cantidades muy superiores a las que esas bacterias pueden procesar.

Hay **agentes contaminantes líquidos** –como los aceites, los pesticidas o los detergentes– y **sólidos** –como los plásticos, los metales y basuras orgánicas–. También existe una **contaminación física,** como la que producen las centrales al verter las aguas muy frías (centrales hidroeléctricas) o a gran temperatura (centrales nucleares y térmicas), lo que altera gravemente el ecosistema de los ríos. La contaminación, además, llega a los acuíferos subterráneos a través de filtraciones.

4.5. La contaminación de las aguas marinas

Aunque el mar tiene una capacidad de depuración natural muy alta, los constantes vertidos están deteriorando de forma clara las aguas marinas, sobre todo en los mares muy cerrados, como ocurre en el Mediterráneo.

Los ríos vierten al mar su carga de agentes químicos, sólidos y de aguas sin depuración. A esto se suma el constante vertido de aceites y petróleo procedente de los motores de **los barcos,** muchos de los cuales limpian sus depósitos en alta mar.

Entre los procesos de contaminación más graves están las **mareas negras,** que se producen por la ruptura de los tanques de un barco o de una plataforma petrolífera.

En las últimas décadas, el desarrollo del **turismo, la urbanización masiva de las costas y la proliferación de puertos y embarcaciones de recreo** están produciendo un aluvión de vertidos sólidos y de aguas residuales sin depurar que amenazan con destruir los frágiles ecosistemas marinos.

Actividades

11 ¿Qué es la contaminación? ¿Qué la produce?

12 Completa las siguientes frases en tu cuaderno:

- La flora se ve en peligro como consecuencia de ……… .
- La protección de las radiaciones solares ha disminuido debido al ……… .
- La subida de las temperaturas en superficie se conoce como ……… .

13 Describe qué tipo de contaminación producen los plásticos, los vertidos a gran temperatura, los pesticidas, las basuras orgánicas, los aceites y las latas de bebidas.

14 Observa la fotografía de la capa de ozono y responde:

- ¿Sobre qué continente se encuentra el agujero?
- ¿Qué es lo que lo ha producido?
- Explica por qué es importante la capa de ozono y qué consecuencias comportaría su desaparición.

5 Las consecuencias de la acción humana

5.1. La deforestación

Los bosques son un medio esencial en el equilibrio ecológico. Conservan y reciclan el suelo constantemente, liberan oxígeno a la atmósfera y eliminan dióxido de carbono a través de la fotosíntesis. En ellos vive una gran proporción de las especies animales y vegetales. Además, proporcionan al ser humano madera, papel, caucho y diversos productos alimenticios.

La **deforestación** supone la destrucción de las áreas de bosque y es un proceso que se extiende de forma alarmante por el planeta.

A lo largo de la historia, el ser humano ha talado pequeñas zonas de bosque para transformarlas en cultivos o para aprovechar la madera, pero sin alterar el predominio del bosque natural. Sin embargo, en los últimos siglos el desarrollo demográfico y económico ha conducido a una **tala sistemática** que ha esquilmado (o empobrecido) los bosques templados, hasta el punto de que sólo queda un 2% de la superficie de bosque natural. Hoy, la deforestación se extiende aceleradamente en los bosques ecuatoriales y tropicales a causa, sobre todo, **de la explotación maderera indiscriminada y la extensión de los cultivos.** La selva del Amazonas genera el 20% del oxígeno del planeta y ha perdido un porcentaje idéntico de su superficie en los últimos años.

A la tala se han sumado procesos igualmente destructivos, como la **lluvia ácida** y los **incendios forestales,** causados por imprudencias o por un mal uso de los recursos naturales.

Los **efectos de la deforestación** son gravísimos. A la **disminución del oxígeno** generado se une la **erosión del suelo,** desprovisto del manto vegetal que lo protegía, así como **la extensión del desierto.** Además, la deforestación contribuye a incrementar la temperatura del planeta, lo que acentúa el calentamiento global.

Principales elementos del ciclo del agua y consecuencias de la acción humana.

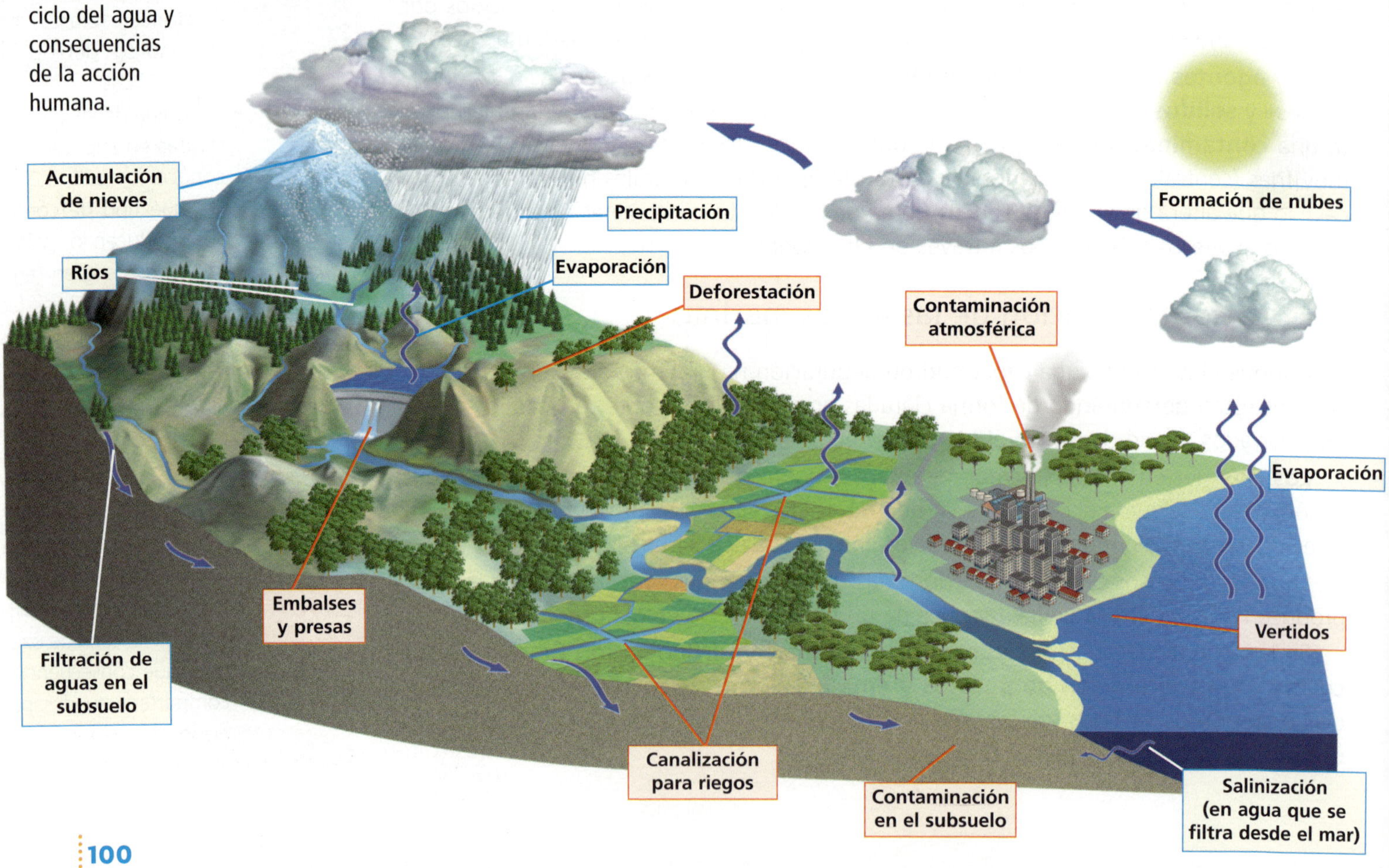

5.2. La desertización y la falta de agua

La **deforestación** y el **cambio climático** traen como consecuencia la **destrucción del suelo,** el **avance del desierto** y la **escasez de agua.**

El desierto cálido se extiende cada vez más desde los medios tropicales hacia las zonas ecuatoriales y templadas, un proceso que en buena parte del planeta es ya irreversible.

Asociada al avance del desierto se encuentra la **escasez creciente de agua.** El cambio climático está alterando el ciclo natural de lluvias, sobre todo en los medios con estación seca. El efecto es el **aumento de ciclos alternos de sequía y lluvias torrenciales.** Estas últimas, además, caen sobre suelos endurecidos, sin raíces vegetales que absorban el agua, por lo que ésta corre en torrenteras o se filtra en el subsuelo.

En los países tropicales, donde se concentra buena parte de la población mundial, **la escasez de agua es ya el principal problema para el futuro.** No sólo escasea, sino que además su calidad se degrada cada vez más a causa de la contaminación, lo que la convierte en vía de transmisión de enfermedades infecciosas.

Aunque en las regiones templadas el problema aún no es tan acuciante, los expertos pronostican una situación similar en el futuro.

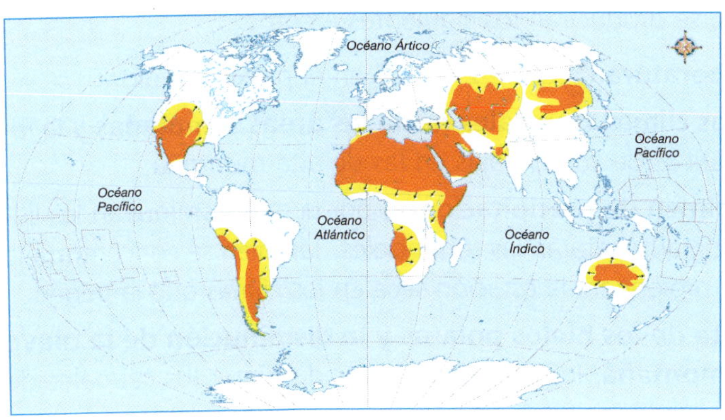

El avance de la desertización en el planeta.

5.3. La extinción de especies

La **biodiversidad** es la **variedad de especies animales y vegetales** que pueblan el planeta y constituye una de sus mayores riquezas, pues, aunque hay catalogadas cerca de 2 millones de especies, se calcula que hay más de 12,5 millones.

De lo que no hay dudas es de la destrucción cada vez más acelerada de ese patrimonio de la Tierra. Cada año desaparecen unas 25.000 especies, procedentes de todos los medios. Hay múltiples causas de esa destrucción, pero las más importantes son:

- La **sobreexplotación de los recursos,** a través de la caza y la pesca intensivas y de una agricultura que agota los suelos y sustituye las especies autóctonas por otras más rentables.
- La **destrucción del hábitat natural,** que provoca un descenso en el número de animales y plantas.
- La **contaminación ambiental,** que degrada los medios naturales aún existentes.
- El **cambio climático,** que altera las condiciones de humedad y temperatura, de las que dependen, en un equilibrio muy frágil, la mayor parte de las especies.
- La **introducción de especies ajenas en medios distintos de los originales** y que a menudo destruyen el ecosistema en el que habitaban otras.
- El **avance de la desertización.**

Desierto de las Bardenas Reales, al sur de Navarra.

Actividades

15 Observa el mapa e indica en qué zonas del planeta avanza el desierto.

16 Indica las causas que llevan a la deforestación y explica cuáles son sus consecuencias.

17 Explica qué es la biodiversidad y por qué es importante su conservación.

18 Busca información y escribe el nombre de cuatro especies en peligro de extinción, indicando los países en los que viven y las razones que pueden producir su desaparición.

El tigre blanco asiático, una de las especies amenazadas de extinción.

6 EL CAMBIO CLIMÁTICO. MEDIDAS PARA UN DESARROLLO SOSTENIBLE

La imagen de la central térmica contrasta con el paisaje.

6.1. El cambio climático

Aunque es el más reciente de todos los procesos que hemos descrito, el cambio climático, con su efecto de calentamiento global, es, con mucho, el más grave de todos y el que más peligros plantea para el futuro.

El **calentamiento global** consiste en el **aumento de la temperatura ambiental** del planeta, que se viene produciendo en las últimas décadas y que se va a ir acelerando en las siguientes, hasta alcanzar consecuencias catastróficas, si antes no se toman medidas drásticas para corregirlo.

El principal causante de ese calentamiento es el **efecto invernadero,** es decir, la concentración de la radiación solar en superficie, sin que pueda liberarse hacia el espacio a causa de la **acumulación de gases** provocada por los procesos industriales y el transporte, principalmente.

Las consecuencias de dicho calentamiento son muchas. Los expertos consideran que, en los próximos años, se producirán los siguientes efectos:

- Un **aumento de la temperatura** de entre 2 y 4 °C en el próximo siglo.
- El **desplazamiento de los climas tropicales hacia las áreas templadas** y la invasión de los rasgos climáticos de zonas bajas en las de alta montaña.
- Una **alteración en el régimen de precipitaciones,** por la que disminuirán las lluvias regulares y moderadas y aumentarán las torrenciales. También se concentrará la estación de las lluvias y se prolongará la estación seca en los climas que la tienen.
- La **fusión de buena parte de los hielos polares y la disminución de la nieve y los glaciares en alta montaña,** lo que puede hacer disminuir los caudales de agua potable, además de producir riadas y avalanchas por el deshielo.
- El **aumento del nivel del mar,** que puede superar el medio metro por término medio durante el siglo XXI. Producirá la inundación de amplias franjas de costa y la desaparición de muchas de las playas actuales.
- La consiguiente **alteración de los medios naturales** y su repercusión en el equilibrio ecológico y en la vida de las especies.

Distribución de las emisiones de CO_2 por áreas del planeta.

Fuente: *The Atlas of the Climate Change,* The Woods Hole Research Center y Organización Meteorológica Mundial.

6.2. El desarrollo sostenible. Medidas para conseguirlo

El actual nivel de desarrollo económico y de avance científico y tecnológico exige un alto consumo de energía y de explotación de recursos. Sin embargo, es posible racionalizarlo y disminuirlo en parte, sin que por ello se resienta sustancialmente el bienestar, y al mismo tiempo adoptar medidas que permitan la conservación y mejora de los medios naturales.

Entendemos por **desarrollo sostenible** aquel que permite mantener o mejorar las condiciones de vida de las generaciones actuales preservando el medio ambiente y asegurando su transmisión a las generaciones futuras.

Son muchas las **medidas** que hay que adoptar para conseguirlo. Entre las más importantes están las encaminadas a la reducción de la contaminación, la sustitución de fuentes de energía fósil por las renovables, el uso racional del agua y la protección de la biodiversidad.

ACTIVIDADES

19 ¿Qué entendemos por desarrollo sostenible?

20 Explica qué consecuencias va a tener el calentamiento global sobre la vida cotidiana de las personas.

Reducción de la contaminación

Disminución del consumo de energía en la industria, las calefacciones y el transporte público y privado.

Sustitución de las fuentes de energía fósiles por otras renovables

Potenciar el uso del sol, el viento y el agua como fuentes primarias, en lugar del carbón, el petróleo o el gas.

Disminución, tratamiento y reciclaje de residuos

Reducir los residuos y, sobre todo, reutilizarlos. Productos como el papel, el metal o la madera pueden volver a la cadena industrial. En caso de residuos que no pueden ser nuevamente utilizados, hay que tratarlos o eliminarlos para evitar que contaminen.

Uso racional del agua

Reducción del consumo en los países ricos para garantizar que llegue a los más pobres. Reutilización de las aguas residuales para el riego y la industria, y acabar con los vertidos a los ríos y acuíferos.

Urbanización sostenible

Control del crecimiento de ciudades y zonas turísticas, y mejora de la construcción: casas bien aisladas y orientadas permiten ahorrar consumo energético y agua.

La recuperación de especies en vías de extinción

Prohibición de la caza, la pesca o la tala abusivas. Prevención de incendios y protección directa de especies amenazadas, así como el fomento de su reproducción.

La protección de los medios amenazados

Preservación de espacios muy poco alterados y lugares con valor ecológico, como Parques y Reservas Nacionales, Zonas de Especial Conservación de la Unión Europea, o Reservas de la Biosfera, fijadas por la UNESCO.

APÉNDICE

7 LA INTERPRETACIÓN DE LOS PAISAJES

El concepto de paisaje en la Geografía actual

La Geografía actual considera el paisaje como el resultado de un conjunto de elementos que están relacionados entre sí de forma muy estrecha. Si alguno de esos elementos (clima, vegetación, fauna, hábitat, etc.) se altera, ese cambio afecta a los demás, de tal forma que el paisaje se transforma.

Por ese motivo, los paisajes se tienen que analizar de forma íntegra, identificando todos sus elementos y analizando de qué forma influyen unos en otros.

Análisis del paisaje

Para analizar un paisaje, debemos estudiar cada uno de sus elementos, primero los naturales y luego los resultantes de la acción humana.

a) Elementos naturales:

- **Clima:** temperatura y precipitaciones.
- **Relieve:** si el terreno es llano, si tiene montañas, si es elevado o próximo al nivel del mar.
- **Suelo:** qué tipo de suelo es, qué materiales lo forman, si es fértil o no...
- **Vegetación:** qué tipos de especies se dan de forma natural.
- **Agua:** existencia de ríos, arroyos, torrentes, lagos, playas, marismas, etcétera.
- **Fauna:** qué especies predominan en el lugar.

b) Elementos resultantes de la acción humana:

- **Agricultura y ganadería:** qué tipos de cultivos existen, si hay repoblación forestal y de qué especies se trata, si aparecen praderas y pastos para el ganado, si hay rebaños...
- **Urbanización:** si el hábitat es rural y, en ese caso, si las viviendas están concentradas o dispersas (presencia de casas, graneros, establos), o si es urbano y, entonces, qué tipo de ciudad aparece (mayor o menor altura de los edificios, densidad, etcétera).
- **Obras públicas:** hay que analizar si existen carreteras, caminos, vías férreas, tendidos eléctricos, embalses, puertos, aeropuertos, etcétera.
- **Industria y minería:** qué fábricas, naves, polígonos industriales, explotaciones mineras o canteras aparecen en el paisaje.

Conclusiones

Una vez analizados los elementos del paisaje, hay que intentar llegar a una serie de conclusiones. Entre otras, están las siguientes:

- Identificar si en el paisaje resultante predominan los elementos naturales o si, por el contrario, son dominantes los que proceden de la acción humana sobre el medio.
- Señalar las condiciones de tipo natural que hayan podido facilitar la presencia humana o si, por el contrario, han propiciado que permanezca el medio original.
- Analizar la calidad de vida, tanto para las especies autóctonas como, en su caso, para el ser humano.
- Detectar los factores de agresión del ser humano sobre el medio geográfico y los peligros que pueden afectar al paisaje natural.

Típico paisaje de la costa cántabra. En la fotografía, playa de Isla, Cantabria.

ACTIVIDADES

1 Observa las fotos que aparecen a continuación y responde a las siguientes cuestiones razonando tus respuestas:

a)

b)

c)

d)

- ¿A qué clima pertenece cada uno de estos lugares?
- ¿Qué paisaje ha sufrido en mayor grado la acción humana?
- ¿En qué lugar hay una mayor calidad de vida? ¿Y menor?
- ¿Qué peligros pueden afectar al hábitat de cada lugar?
- ¿Identificas algún tipo de vegetación?

2 Explica el significado de los siguientes términos en función del contexto en el que se encuentran. Si te hace falta, consulta el diccionario:

Fértil • Marisma • Predominar
Embalse • Cantera • Autóctono

3 Comenta el siguiente texto teniendo en cuenta, entre otros, aspectos como los siguientes:

«En tierra firme aramos zonas vírgenes, aunque en su mayor parte sean, aun en el mejor de los casos, de una calidad marginal. Los suelos, uno de nuestros más preciosos recursos, son arrastrados por el agua o los vientos en cantidades que alcanzan millones de toneladas por año. Para complicar aún más esta tragedia, año tras año se pavimentan o «urbanizan» grandes extensiones de tierra de cultivo productiva. Los desiertos crecen, amenazando a un tercio de las tierras cultivables en los próximos 75 años. Se talan bosques en los trópicos con un entusiasmo tal que poco quedaría de ellos para mediados de siglo. Al ir desapareciendo los bosques, millones de especies pierden su hábitat y muchas de ellas desaparecen para siempre.»

Norman Myers, *El atlas Gaia de la gestión del planeta,* Madrid, Hermann Blume, 1994, p. 16.

- ¿Qué tiene de malo que se aren tierras vírgenes?
- ¿Qué problema se puede crear al ser arrastrado el suelo por el aire o el agua?
- ¿Por qué es malo urbanizar lugares para que puedan vivir los seres humanos?
- ¿Por qué crecen tanto los desiertos?
- ¿Qué problemas se pueden derivar de la tala de árboles, aparte de la alteración del hábitat de distintas especies?

Puedes ampliar tu respuesta con libros de referencia o búsquedas en internet.

PRACTICA COMPETENCIAS

Competencia en el conocimiento y la interacción con el mundo físico

1 Interpreta el paisaje que aparece en la fotografía de Luarca y responde a las siguientes cuestiones:

- Haz una lista de los elementos naturales y otra de los elementos propios de la acción humana que aparecen en la imagen.
- Averigua el tipo de clima de esta ciudad y su emplazamiento geográfico.
- Señala las razones que han podido llevar a que surgiera un asentamiento humano en este lugar, teniendo en cuenta el clima, la altitud, la proximidad del agua y otros factores.
- ¿Crees que es un buen lugar para vivir? Razona tu respuesta.

Competencia en comunicación lingüística

2 Define los siguientes términos en función del contexto en el que los has encontrado hasta ahora. Si te hace falta, consulta el diccionario:

plantación • hábitat
desarrollo sostenible • calentamiento global
deforestación

Tratamiento de la información y competencia digital

3 Entra en la web <www.epa.gov/acidrain/education>: en «Juegos y actividades» encontrarás un puzzle. Después de hacerlo, cópialo en tu cuaderno.

4 Teclea en tu buscador «paisaje» y, consultando la web <www.wikipedia.org>, contesta a las siguientes preguntas:

- ¿Qué organismos internacionales se encargan de la protección del paisaje?
- De las capas de la Tierra, ¿cuál influye de forma más decisiva en el paisaje?
- ¿Qué tres elementos, que se articulan entre sí, componen el paisaje? Pon un ejemplo de cada uno de ellos.

5 Teclea en tu buscador «contaminación de las aguas» y, desde la web <platea.pntic.mec.es>, realiza la actividad sobre la contaminación de las aguas y, al terminarla, cópiala en tu cuaderno.

Competencia para aprender a aprender

6 Investiga en internet y nombra tres fuentes de energía renovables.

7 A partir de la siguiente relación, escribe en tu cuaderno dos columnas y coloca en una de ellas los elementos favorables para la vida humana y en la otra los desfavorables:

a) Áreas costeras.
b) Zonas polares.
c) Valles de grandes ríos.
d) Desiertos.
e) Áreas alejadas de las vías de comunicación.
f) Regiones templadas.
g) Altas cumbres.

8 Explica las causas que están determinando el avance de los desiertos cálidos.

9 Adjudica a cada contenedor el tipo de residuos que le corresponde (amarillo, verde, naranja, azul, punto limpio) y relaciona en tu cuaderno los objetos que deberían depositarse en cada uno de ellos:

a) Cristales de una ventana.
b) Tetra-briks.
c) Periódicos.
d) Latas de refrescos.
e) Botes de cristal.
f) Restos de comida.
g) Cartón.
h) Pilas eléctricas.

10 Completa en tu cuaderno el siguiente mapa conceptual:

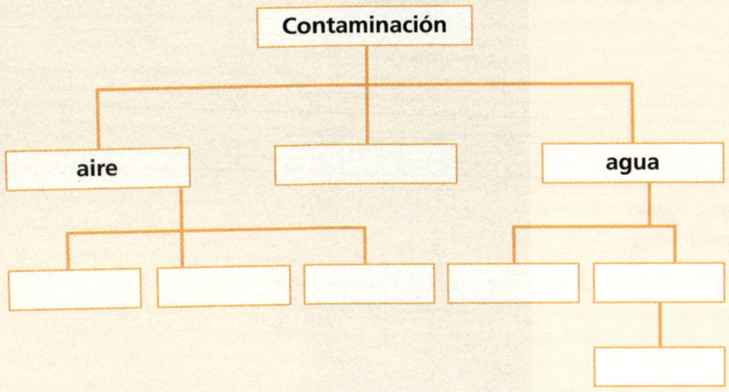

11 Busca en internet o en libros de referencia información sobre seis especies animales amenazadas de extinción e indica las causas de dicha amenaza.

12 ¿Por qué crees que Mongolia, con una extensión tres veces mayor que la de España, tiene una población casi veinte veces menor?

13 ¿De qué forma puede afectar la lluvia ácida a la fauna?

Autonomía e iniciativa personal

14 Busca en internet o en libros de referencia información sobre el petróleo y haz un trabajo en el que indiques cómo se origina, cuáles son los principales países exportadores, qué usos hacemos del mismo y qué dependencia tiene el mundo actual de él.

15 Elabora en grupo un mural ecologista con cinco propuestas para un desarrollo sostenible.

16 Comenta el siguiente texto y responde a las cuestiones que aparecen a continuación:

«Un fino velo de ozono, allá arriba en la atmósfera de la Tierra, protege la vida que existe bajo él de aquella porción de radiación solar ultravioleta que, de otro modo, causaría serios problemas en muchas formas de vida. A pesar de ello estamos dañando este velo de ozono mediante productos químicos liberados en la superficie de la Tierra. La disminución global de la capa de ozono es de alrededor de un 2% al año. Cada 1% de pérdida de ozono puede causar un aumento de alrededor del 2% en la peligrosa radiación ultravioleta. Las consecuencias de una mayor exposición a esta radiación representan una amenaza para la salud humana, así como para los animales, plantas y el medio ambiente. Ya existen problemas de cataratas en ovejas del sur de Chile, donde el agujero de ozono está presente de forma regular en cada una de las primaveras del polo sur. Hasta ahora los trópicos son las únicas áreas que no están afectadas por la disminución de ozono.»

N. Myers, *El atlas Gaia de la gestión del planeta*, Madrid, Hermann Blume, 1994, p. 154.

a) ¿En qué parte de la atmósfera se encuentra la capa de ozono?

b) ¿Qué emite la radiación ultravioleta? ¿Qué problemas puede crear a las distintas formas de vida?

c) ¿Qué productos emitimos a la atmósfera perjudiciales para la capa de ozono?

d) Si la capa de ozono disminuye un 2% anual, ¿cuánto habrá disminuido desde que se firmó el Protocolo de Montreal en 1987?

e) Las ovejas de Chile están afectadas de cataratas. ¿Qué tipo de enfermedad es? ¿Puede afectar a los humanos?

f) Mientras en el Polo Sur es primavera, ¿qué estación es en el Polo Norte?

g) ¿Entre qué líneas imaginarias de la Tierra se encuentran los trópicos?

h) ¿Han tomado los gobiernos medidas para evitar la disminución de la capa de ozono? Si la respuesta fuese afirmativa, indica dichas medidas.

i) Indica brevemente de qué forma podemos ayudar, en nuestra vida diaria, para que este problema no vaya a más.

Páginas web

Las siguientes páginas web te pueden ayudar en el estudio de esta unidad:

Web oficial del Ministerio de Medio Ambiente:

www.marm.es

Página que trata los problemas de la deforestación. Te remite a otras páginas relacionadas con el medio ambiente:

www.jmarcano.com

Desde esta web podrás ampliar tus conocimientos sobre el efecto invernadero, el calentamiento global y sus consecuencias:

www.portalplanetasedna.com.ar/efecto_invernadero1.htm

Página web oficial de Greenpeace:

www.greenpeace.org/espana

La península Ibérica. Las islas Baleares y las islas Canarias

«Una piel de toro extendida; una de las tres penínsulas meridionales de Europa; un bloque peninsular de contorno cerrado y maciza apariencia; un conjunto de altas sierras en las que mesetas y montañas dominan y señorean algunas tierras bajas de llanura: soldada a Europa, pero remachada la soldadura por una barrera montañosa en cuya crestería hay blancor de nieve; una península en el extremo sudoeste de Europa, entre el Atlántico y el Mediterráneo, Finisterre europeo y puente tendido hacia el continente africano en el que sólo ha fallado la dovela de un arco. He aquí algunos de los rasgos elementales que integran nuestra representación geográfica de la Península.»

Manuel de TERÁN *et al.*, *Geografía general de España,* Barcelona, Ariel, 1982.

- ¿Cuáles son las principales cordilleras de España?
- ¿Cuáles son los ríos más importantes de la Península?
- ¿Qué islas forman el archipiélago balear? ¿Y el de las islas Canarias?

Fotografía satélite de la península Ibérica.

6

1 El relieve peninsular (I). Características generales, el Macizo Galaico y la Meseta Central

Algunos datos sobre la península Ibérica	
Superficie total de la Península	582.000 km^2
Superficie de la España peninsular	492.000 km^2
Superficie de España, peninsular e insular	506.000 km^2
Extensión de la costa de la Península	4.100 km
Altitud media de la Península	660 m sobre el nivel del mar

1.1. La península Ibérica y España

La **península Ibérica** es la segunda en extensión del continente, detrás de Escandinavia. Incluye territorio de **tres países (España, Portugal y Andorra),** así como el **enclave británico** de **Gibraltar.**

La península Ibérica está situada en el extremo suroccidental de Europa y tiene unas **características físicas muy definidas:**

- Una **elevada altitud media,** que se debe al elevado número y altitud de los sistemas montañosos.
- Un **relieve muy accidentado,** que históricamente ha dificultado las comunicaciones y los transportes.
- Una **forma muy compacta,** con litorales lineales y escasos salientes y entrantes.
- Una **gran extensión de costa,** al estar casi completamente rodeada por los mares Cantábrico y Mediterráneo y por el océano Atlántico.

España ocupa la mayor parte de la península Ibérica, pero también se extiende más allá, a las **islas Baleares**, las **islas Canarias** y algunos territorios de la costa norte de África, como **Ceuta** y **Melilla.** En total, es el cuarto país de Europa en superficie.

Principales componentes del relieve peninsular.

1.2. Los componentes del relieve peninsular

La **península Ibérica** es el resultado de una **larga evolución geológica.** A la formación del relieve han contribuido casi todos los grandes procesos de formación de montañas **(plegamientos)** de la historia de la Tierra. Eso explica la variedad de las formas de relieve y de la composición de las rocas.

Podemos distinguir los siguientes componentes del relieve peninsular:

- El Macizo Galaico y la Meseta Central, con sus cordilleras interiores.
- Las cordilleras alpinas de la periferia peninsular.
- Las dos grandes depresiones fluviales.

1.3. El Macizo Galaico y la Meseta Central

El **Macizo Galaico** es la unidad de relieve más antigua de la Península. Su origen se encuentra en una cadena montañosa que surgió en la Era Primaria y que más tarde fue arrasada por la erosión y quebrada en bloques durante el plegamiento alpino. A ese proceso se deben sus formas suaves e irregulares y su brusco descenso hacia el mar en el oeste.

La **Meseta Central** se originó también a partir de un macizo montañoso muy antiguo y posteriormente erosionado. Tiene una elevada altitud media (por encima de los 600 m) y está inclinada hacia el oeste, lo que explica que los grandes ríos que la atraviesan vayan a parar al océano Atlántico.

Durante el plegamiento alpino, la Meseta fue comprimida y se partió en varios bloques que se deslizaron entre sí y cuyos bordes quedaron levantados. Como consecuencia de ello, quedó dividida en los siguientes elementos:

- **Submeseta Norte,** más elevada, ocupada por la cuenca del río Duero.
- **Submeseta Sur,** más baja y dividida en dos cuencas: la del Tajo y la del Guadiana.
- Varios sistemas montañosos, que son los bordes de las fallas levantados por la fractura (de norte a sur): los **Montes de León,** el **Sistema Central,** los **Montes de Toledo** y **Sierra Morena.**

El **Sistema Central** es el más complejo de todos y está formado por una serie de **sierras** paralelas y enlazadas **(Somosierra, Guadarrama y Gredos),** con zonas intermedias más bajas **(puertos)** que permiten franquear el paso entre ambas submesetas.

Evolución geológica de la Península	
Era Primaria (600-250 millones de años)	Macizo Galaico. Meseta Central.
Era Secundaria (250-65 millones de años)	Erosión y acumulación de sedimentos.
Era Terciaria (65-2 millones de años)	Plegamiento alpino, que da lugar a: • Sistemas montañosos externos a la Meseta: Pirineos, Sistema Cantábrico, Sistema Ibérico, Cordillera Costero-Catalana, Cordillera Bética. • Fractura de la Meseta: Submesetas Norte y Sur, Sistema Central, Montes de Toledo, Montes de León y Sierra Morena. • Formación de los valles del Guadalquivir y del Ebro.
Era Cuaternaria (últimos 2 millones de años)	Erosión y sedimentación. Relleno de los valles fluviales.

Fuente: http://es.wikipedia.org.

Fotografía del río Tiétar con la Sierra de Gredos al fondo.

Actividades

1. Busca un mapa de España en un atlas o en internet. Señala con qué limita la Península al norte, al sur, al este y al oeste.
2. En un mapa mudo de la Península, sitúa las unidades de relieve más importantes.
3. ¿Cuáles son las unidades de relieve más antiguas? Indica sus principales características.

2 EL RELIEVE PENINSULAR (II). LAS CORDILLERAS EXTERIORES Y LAS DEPRESIONES

2.1. Las cordilleras alpinas

El plegamiento alpino, en la Era Terciaria, produjo **efectos muy acusados en la Península,** hasta el punto de conformar prácticamente el relieve actual.

El plegamiento alpino dio lugar a **cinco grandes cordilleras:**

- Los **Pirineos** forman una alineación de montañas muy regular y simétrica. Se extienden a lo largo de 440 km entre el mar Mediterráneo y el Cantábrico. Están formados por sierras paralelas que descienden hacia las vertientes francesa y española. Son montañas recientes, por eso están poco erosionadas, e incluyen picos muy elevados, como el Aneto (el más alto, con 3.404 m), el Monte Perdido o la Maladeta.
- El **Sistema Cantábrico** es una larga cordillera, de unos 400 km de extensión y cuyas montañas más elevadas alcanzan entre 2.000 y 2.500 m de altura. La zona asturiana es más abrupta e incluye el macizo más alto, los Picos de Europa.
- El **Sistema Ibérico** forma una masa muy compleja de sierras paralelas y entrecruzadas, en el límite nororiental de la meseta. En su zona oriental hay sierras altas y rocosas, como las de la Demanda o Urbión, mientras que en la zona más próxima al Mediterráneo los relieves son menos pronunciados, pero también más complicados, como en las sierras de Albarracín o el Maestrazgo. En el centro existe una gran depresión, la de Calatayud-Teruel. El pico más alto es el Moncayo (2.313 m).
- La **Cordillera Costero-Catalana** está compuesta por dos alineaciones montañosas paralelas a la costa: la Cordillera Prelitoral, en el interior, con las mayores alturas (destacan el Montseny, con 1.700 m, el Montserrat o el Montsent de Pallars), y la Cordillera Litoral.
- La **Cordillera Bética** es la de mayor tamaño de la Península: tiene unos 620 km de extensión, pero, además, se prolonga bajo el mar para elevarse y formar **algunas de las islas Baleares.** Está compuesta por dos grandes sistemas más o menos paralelos: la Cordillera Subbética en el interior, con relieves menos pronunciados, y la Cordillera Penibética, más elevada y que incluye Sierra Nevada, con el pico más alto de la Península, el Mulhacén (3.478 m). Entre ambas cordilleras existe una depresión, constituida por una serie de **hoyas*** o **fosas tectónicas,** como las de Baza o Guadix, en las que se encuentran algunos de los suelos más fértiles de la Península.

Un paisaje de las montañas del Sistema Cantábrico: el valle del Lago, en el Parque Natural de Somiedo, Asturias.

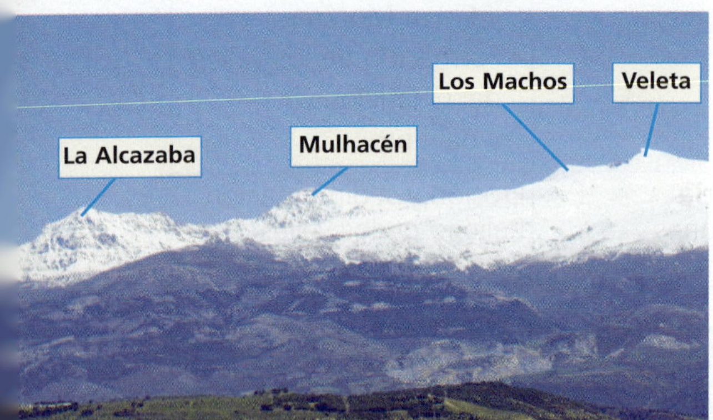

Principales picos de Sierra Nevada.

CONCEPTOS

Hoya: hundimiento del terreno producido por fracturas del suelo.

Corte topográfico de la Península, en el sentido norte-sur, con las principales unidades del relieve.

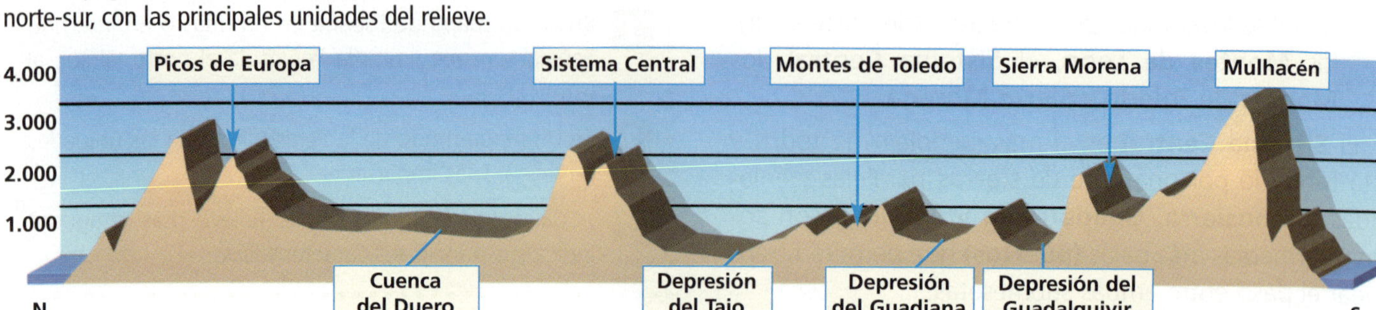

2.2. Las depresiones del Ebro y del Guadalquivir

Los valles del Ebro y del Guadalquivir forman dos grandes depresiones interiores, originadas durante el plegamiento alpino, las cuales han sido excavadas y rellenadas de materiales a lo largo de millones de años por ambos ríos.

2.2.1. La depresión del Ebro

Es una gran llanura de forma triangular que arranca en la región vasca y que va ampliándose progresivamente hasta alcanzar su máxima anchura cerca del Mediterráneo. Al producirse el plegamiento alpino quedó sumergida y más tarde emergió, al retirarse el mar.

Desde entonces, **el Ebro y sus afluentes,** por una parte, y la **erosión del viento,** por otra, han ido **conformando el valle.** Junto a los ríos hay suelos fértiles, formados por arcillas y **limos*,** pero en otras áreas afloran las sales de origen marino, lo que produce una extrema aridez.

En su desembocadura, el Ebro ha formado, gracias a la acumulación de depósitos que arrastra, uno de los deltas más espectaculares que existen.

El valle del Ebro.

CONCEPTOS

Limo: sedimento muy fértil formado por arenas y materia orgánica descompuesta, transportado por el agua y depositado en los márgenes del río.

2.2.2. La depresión del Guadalquivir

Tiene, asimismo, una forma triangular. Es también una fosa hundida durante el plegamiento alpino, entre la Cordillera Bética y Sierra Morena. Es muy estrecha en la cabecera de la cuenca del Guadalquivir, con apenas 10 km de ancho, así como alcanza los 300 km de costa en su límite, en el golfo de Cádiz.

Mientras que el descenso desde las sierras béticas es irregular, con zonas pronunciadas y otras muy suaves hacia el norte, el desnivel desde las cumbres de Sierra Morena es regular y muy brusco, lo que hace que constituya uno de los descensos en altitud más acusados de nuestra geografía.

Los suelos son muy fértiles, con colinas suaves y una topografía regular. En su desembocadura en el Atlántico las tierras son muy bajas y dan lugar a marismas y dunas.

Tanto en el Ebro como en el Guadalquivir los cauces se van rellenando con aluviones constantes, hasta el punto de que la navegabilidad del río andaluz ha ido retrocediendo en los últimos siglos de forma acusada.

ACTIVIDADES

4 Copia esta tabla en tu cuaderno y complétala colocando de mayor a menor altura los siguientes picos: Alcazaba, Teide, Aneto, Monte Perdido, Posets o Llardana, Mulhacén y Veleta. Debes buscar la información sobre la altitud de cada uno, en qué cordillera, sistema, macizo, etc., se encuentra, además de la provincia y comunidad autónoma a la que pertenece.

Nombre	Altitud	Se encuentra en...	Provincia	Comunidad

5 Indica a qué cordilleras pertenecen:

Macizo de Montserrat • Sierra de la Demanda • Sierra Nevada
Macizo de la Maladeta • Picos de Europa • Macizo de Montseny • Sierra de Albarracín

6 Completa en tu cuaderno la siguiente descripción:

La depresión del Ebro tiene forma ______. Arranca en ______, alcanzando su mayor anchura cerca del ______.

La depresión del Guadalquivir tiene forma ______. Desemboca en el ______, en el golfo ______. En su desembocadura las tierras son muy bajas, lo que hace que se formen ______ y ______.

3 Los ríos peninsulares

3.1. Los ríos peninsulares

La **península Ibérica,** pese a su extensión, tiene una **red hidrográfica** relativamente **pequeña.** Los ríos son, en general, de corto recorrido, y su caudal es escaso, sobre todo si lo comparamos con los grandes ríos europeos.

Hay dos razones: por un lado, el clima se caracteriza por que **las precipitaciones no son especialmente abundantes** y el avance de la desertización contribuye a aumentar la escasez de agua; por otro, el relieve tan accidentado provoca que, salvo en algunas cuencas, como las del Ebro, el Duero o el Guadalquivir, la aportación de aguas esté muy dividida.

Además, los climas peninsulares se caracterizan por una temporada de lluvias muy corta, con muchos meses sin precipitaciones, lo que explica que el caudal de los ríos cambie mucho a lo largo del año.

3.1.1. Los ríos cantábricos

Los ríos que van a parar al mar Cantábrico son, en general, **cortos.** La proximidad de la cordillera a la costa limita el tamaño de las cuencas. La fuerte pendiente hace que el **curso** de los ríos sea **directo al mar, con aguas rápidas y casi sin afluentes.** En general, el caudal es regular, aunque experimenta crecidas en la primavera y el verano a causa del deshielo.

Entre los más importantes, por su longitud y caudal, están el Eo, el Nalón, el Navia, el Bidasoa y el Nervión.

Principales ríos y accidentes costeros de la península Ibérica.

3.1.2. Las cuencas fluviales del Atlántico

La inclinación de la Meseta hacia el Atlántico explica que todos los ríos que la atraviesan viertan sus aguas en dicho océano.

- Los **ríos gallegos** atraviesan un territorio corto y accidentado, por lo que su curso es sinuoso. En su desembocadura, muchos de ellos forman pequeños **estuarios,** las **rías gallegas.** El Miño y el Sil son los más destacados.
- La **cuenca del Duero** es la mayor de la Península, con 97.290 km^2. El río nace en Picos de Urbión y desemboca en Oporto. Tiene una densa red de afluentes, sobre todo en su vertiente norte, con el Esla y el Pisuerga. En el lado meridional, el Tormes es el más destacado.
- El **río Tajo** es el más largo de la Península. Nace también en el Sistema Ibérico y desemboca en el gran estuario de Lisboa. Cubre una cuenca de 81.947 km^2 y en muchos tramos ha ido excavando su curso en gargantas, de ahí su nombre. Sus afluentes más importantes están en el lado septentrional: Jarama, Alberche y Tiétar.
- El **río Guadiana** nace en plena llanura, en las Tablas de Daimiel. Su caudal y el de sus afluentes es corto porque apenas recibe aportaciones de deshielo de nieves. Desemboca en un estuario, en Ayamonte, que es frontera con Portugal.
- El **río Guadalquivir** nace en la Sierra de Cazorla y su curso recorre una cuenca estrecha, que se va ampliando conforme avanza hacia el mar. Sus aguas son principalmente pluviales, salvo las del Genil, que proceden de Sierra Nevada. Desemboca en Sanlúcar de Barrameda (Cádiz), en un terreno de marismas. Pese a que arrastra muchos limos, la fuerza del Atlántico impide la formación de un delta.

El río Tajo a su paso por Toledo.

3.1.3. Los ríos mediterráneos

La vertiente mediterránea es, en general, mucho más estrecha que la atlántica. Los Sistemas Ibérico y Bético aíslan el interior y el clima, muy poco lluvioso, aporta poca agua a los ríos. Por eso son **cortos, de escaso caudal y muy irregulares.** Tienen un estiaje muy acusado y muchos permanecen secos durante varios meses del año. Los ríos principales son el Ter, el Llobregat, el Turia, el Júcar, el Segura o el Guadalhorce.

El **río Ebro** es la excepción, ya que nace en Cantabria y recorre más de 900 km, abarcando una cuenca de 85.000 km^2. Recoge aguas de lluvias y de nieve del Pirineo y del Sistema Ibérico. Eso explica que sea el río más caudaloso de España. Sus principales afluentes son pirenaicos: Aragón, Gállego, Segre, Cinca, Noguera Pallaresa y Noguera Ribagorzana. Por el sur, el Jalón es el más importante.

Una vista aérea del delta del río Ebro.

Actividades

7 En un mapa mudo de la Península sitúa los siguientes ríos:

Miño • Duero • Tajo • Guadiana • Guadalquivir • Ebro • Segura • Turia • Júcar

8 Indica en tu cuaderno a qué vertiente (mediterránea, cantábrica o atlántica) pertenecen los tipos de ríos siguientes:

- Ríos cortos y de escaso caudal.
- Ríos largos, regulares y con extensa red de afluentes.
- Ríos cortos, con fuerte pendiente y regulares.

4 Las costas peninsulares

4.1. Las costas españolas de la Península

Nuestro país cuenta con una **extensísima línea de costa** en la Península. La característica más llamativa es el **predominio de las zonas acantiladas,** resultado de la conexión de los sistemas montañosos con el mar.

Podemos distinguir **cuatro áreas** dentro de las costas españolas:

- La **costa cantábrica.** Es, en general, lineal, con pocas rías (destaca la del Nervión) y cabos. Las playas son cortas y limitadas por promontorios.
- La **costa atlántica gallega.** Predominan los acantilados y cabos rocosos y, entre ellos, las rías gallegas, que llegan a penetrar hasta 35 km tierra adentro.

Corme, Costa da Morte (Galicia).

Arousa y el cabo Roncuso (Galicia).

Playa de Mazagón (Huelva).

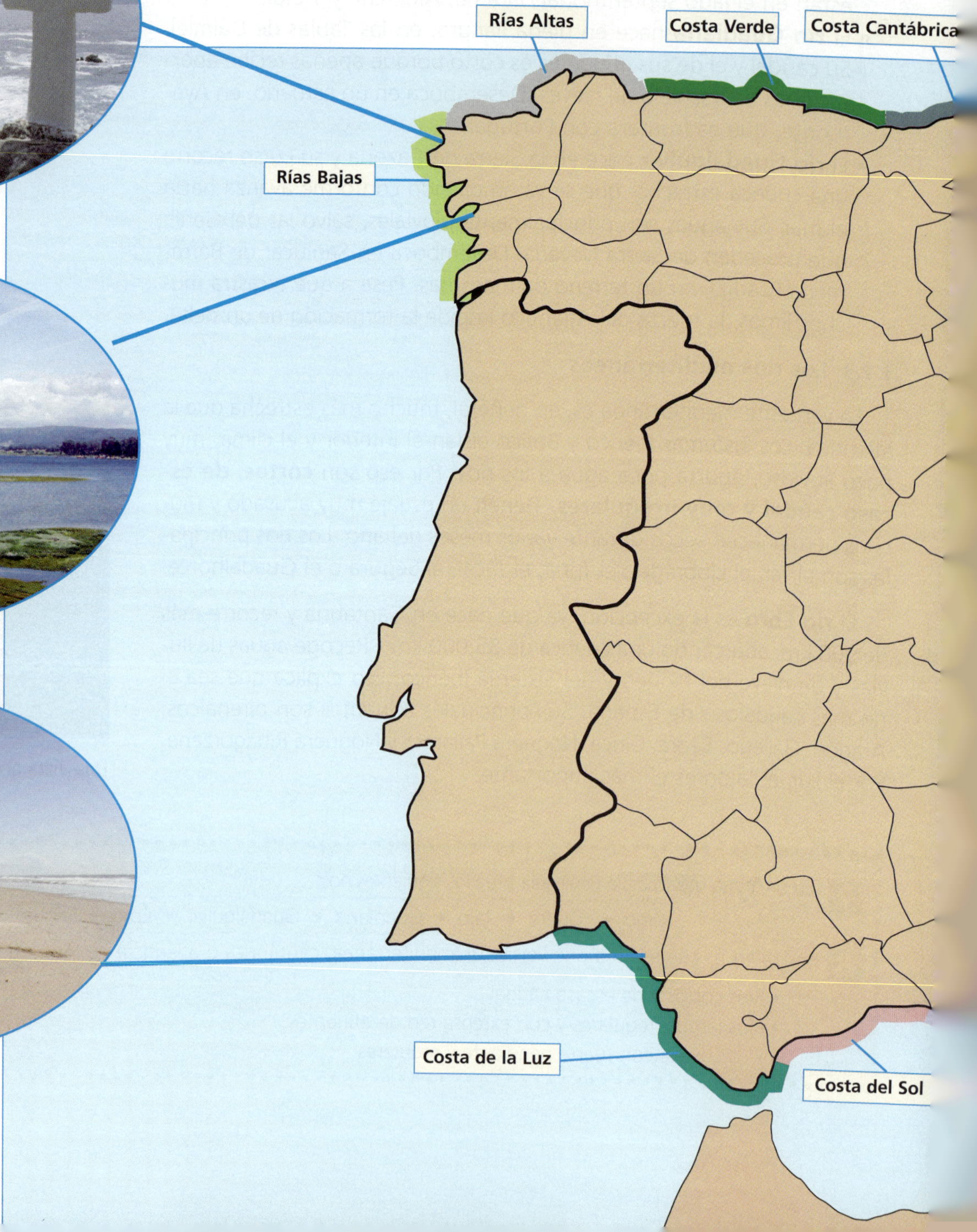

- La **costa atlántica andaluza.** Es una costa baja, con extensas playas, formadas tanto por la aportación de arenas marinas como por los depósitos del Guadalquivir.
- Las **costas mediterráneas.** En ellas alternan zonas de extensos acantilados, allí donde la montaña llega hasta el mar (costa Brava, costa alicantina, costa granadina), con amplios golfos (región valenciana, murciana o gaditano-malagueña).

ACTIVIDADES

9 Relaciona en tu cuaderno las siguientes columnas:

Costa baja con playas extensas •	• Costa mediterránea
Costa lineal de playas cortas •	• Costa atlántica gallega
Acantilados y amplios golfos •	• Costa cantábrica
Acantilados y cabos rocosos •	• Costa atlántica andaluza

Playa de la Concha de San Sebastián (País Vasco).

Playa de la Malvarrosa (Valencia).

Cabo de Gata (Almería).

5 Los paisajes peninsulares. La España oceánica

Desde el punto de vista de la distribución de los paisajes, podemos dividir la España peninsular en **tres áreas diferenciadas,** determinadas por el clima:

- La **zona oceánica,** que incluye Galicia, toda la franja cantábrica y los Pirineos.
- La **zona interior,** que comprende la Meseta y las zonas interiores de los valles del Ebro y del Guadalquivir.
- El **área mediterránea,** que abarcaría toda la zona costera del Mediterráneo y también la cuenca baja del Ebro y del Guadalquivir.

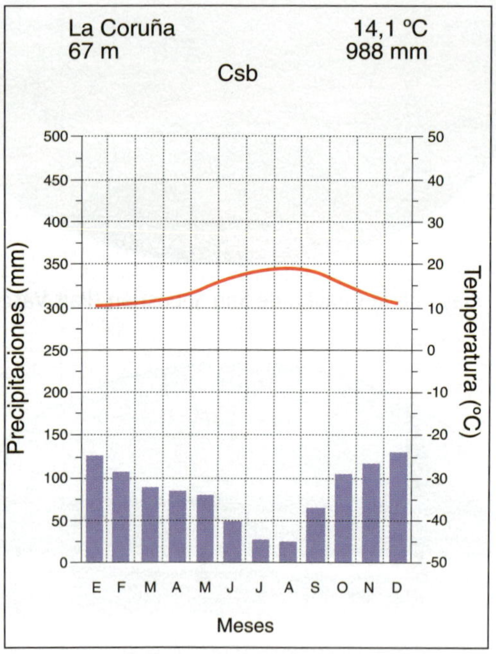

Climograma de La Coruña.

5.1. El clima de la España oceánica

El clima de la costa cantábrica y de Galicia corresponde a las características típicas del clima oceánico.

Se caracteriza por **temperaturas muy suaves,** a causa de la influencia del océano. En los inviernos hay temperaturas medias de entre 8 y 10 °C, mientras que en los veranos apenas se llega a los 18 o 20 °C. La oscilación térmica anual, pues, ronda los 10 °C. Sólo en las regiones de alta montaña del Sistema Cantábrico o del Pirineo las temperaturas del invierno bajan considerablemente, hasta los 0 °C.

Sometida todo el año a las borrascas atlánticas, las **precipitaciones son abundantes** y se distribuyen por todas las estaciones, aunque llueve más en invierno. En total, se superan, como media, los 150 días de lluvia al año. En la alta montaña, las nevadas son frecuentes en invierno, por lo que las cumbres permanecen muchos meses al año cubiertas de nieve.

Localización del paisaje oceánico en la Península.

5.2. Los paisajes naturales

El **ambiente húmedo,** predominante en el norte, favorece la presencia de dos tipos de vegetación principales: el **bosque caducifolio** y la **pradera natural.**

- El **bosque de hoja caduca** cubría antiguamente una buena parte de la superficie, tanto en los valles como en la montaña. Aunque hoy está en regresión, sigue siendo el paisaje más característico. Lo forman especies de hoja caduca muy frondosas, como el roble o el haya, que pueden alcanzar una altura de 30 ó 40 m, y cuyas ramas forman una trama tupida que impide pasar los rayos solares.
- En las zonas de alta montaña encontramos la **pradera natural,** formada por especies herbáceas de corto desarrollo, más adaptadas a la altitud.

5.3. La transformación del paisaje natural

La **acción humana** ha ido sustituyendo el paisaje original por otros muy distintos:

- El **bosque de repoblación,** formado con especies implantadas por el hombre –como el castaño o el avellano– y, más recientemente, el pino y el eucalipto. Son especies que se adaptan bien y resultan muy rentables por su rápido crecimiento y aprovechamiento maderero, si bien agotan los suelos y eliminan la flora autóctona.
- La **landa,** una típica formación arbustiva, compuesta de retamas, brezos, tojos y helechos, entre otras especies. Se extiende en las zonas en las que ha desaparecido el bosque originario.
- La **pradera,** introducida en amplias zonas de la región cantábrica y de los valles vascos y pirenaicos como hábitat idóneo para la cría de ganado.

Paisaje de Cantabria.

5.4. El hábitat

El norte de España ha presentado, históricamente, **tres tipos de poblamiento:**

- **Poblamiento rural disperso.** Es el más tradicional, propio de un medio de precipitaciones abundantes y economía ganadera, que exige la presencia del campesino junto a la explotación. Aparece en muchas zonas próximas a la montaña, con un tipo de vivienda adaptada al clima: tejados pronunciados, soportales y zócalos de piedra. Como ejemplo son característicos los pazos gallegos o los caseríos vascos.
- **Poblamiento rural concentrado.** Se localiza en el fondo de los valles, junto a los ríos y cruces de caminos, pero también en la costa, asociado a la economía pesquera. También es el propio de las cuencas mineras asturianas y leonesas.
- **Poblamiento urbano.** Las ciudades aparecen casi siempre en las costas. Son las capitales de provincia, los focos industriales y los puertos comerciales, como Vigo, La Coruña, Gijón, Santander o Bilbao.

Caserío vasco del valle de Oma.

En la actualidad, la **tendencia de la población** es la de **emigrar hacia las ciudades.** Las crisis del sector ganadero y de la minería han provocado que muchas viviendas dispersas y pequeños pueblos y aldeas se estén quedando vacíos o muy poco poblados, con una población envejecida que no garantiza la supervivencia de los enclaves rurales. Sólo en los últimos años el turismo rural está reactivando algunas áreas.

Actividades

10 Observa la fotografía superior del paisaje de Cantabria y responde:

¿Qué tipo de vegetación aparece en primer término? ¿De qué zonas es característica esta vegetación? ¿Qué elementos de relieve aparecen? ¿En qué sistema montañoso está situado? ¿Qué tipo de hábitat se aprecia en la fotografía?

11 Observa el climograma de La Coruña y contesta:

¿Cómo son las temperaturas y las precipitaciones a lo largo del año? ¿Qué causas explicarían este tipo de temperaturas y precipitaciones? ¿De qué tipo es el clima de La Coruña?

12 Explica qué especies son características del bosque de repoblación e indica qué consecuencias tienen para el medio natural.

6 El paisaje de la España interior

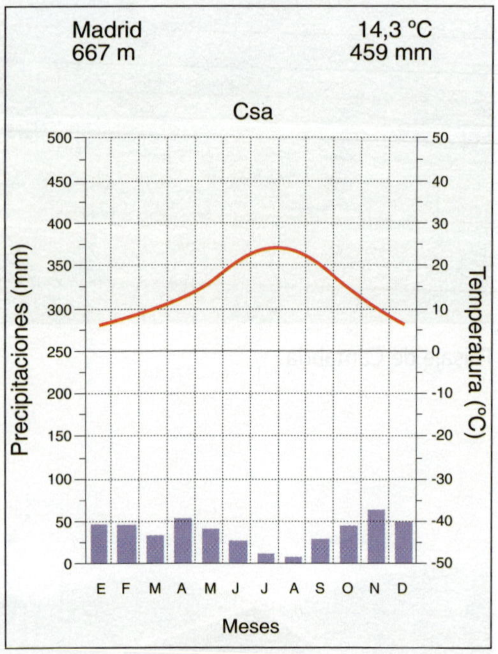

Climograma de Madrid.

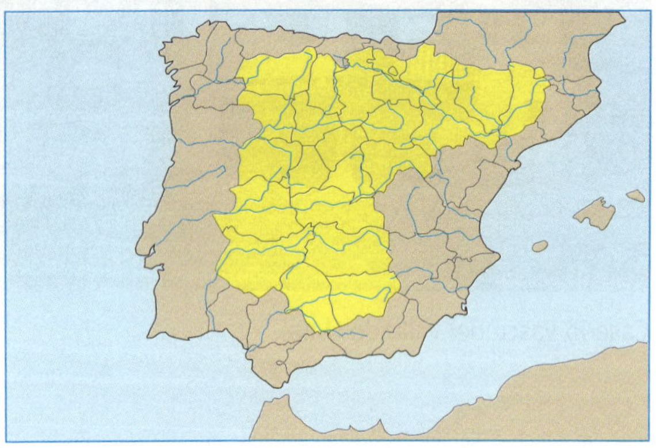

Localización del paisaje de la España interior.

6.1. El clima mediterráneo continental

El interior de la Península queda bajo la influencia general del clima mediterráneo, con su **verano seco y caluroso.** Sin embargo, presenta también algunos rasgos propios del clima continental, como el **frío invierno.** Por eso, suele definirse como un **clima mediterráneo de influencia continental.**

En el interior de la Península, **las temperaturas del verano y del invierno oscilan mucho.** Los veranos suelen ser calurosos, con medias entre 20 y 25 °C, aunque es una estación breve, que no dura más de dos o tres meses. El invierno, por el contrario, tiene temperaturas por debajo de los 6 °C de media y se prolonga bastantes meses. Son más crudos en la Meseta Norte y en el valle del Ebro que en La Mancha y el valle del Guadalquivir. En la zona norte, además, son frecuentes los bancos de niebla en los meses más fríos, sobre todo cerca de los ríos.

Las **precipitaciones** son **escasas e irregulares.** No suelen superar los 600 mm anuales y se concentran en el otoño y la primavera, rasgo típico del clima mediterráneo. En general, provienen de las borrascas que llegan del Atlántico, pero también son frecuentes las tormentas de verano, especialmente en el valle del Ebro.

En las áreas del Sistema Central, Sierra Morena y Sistema Ibérico, el **clima** es el propio **de alta montaña:** temperaturas más frías, muy bajas en invierno y suaves en verano, y precipitaciones mucho más abundantes que en las zonas bajas.

6.2. Los paisajes naturales

Las zonas interiores de la Península están muy **transformadas por la acción humana,** por lo que las áreas de vegetación natural son casi residuales.

En general, las especies características son las del medio mediterráneo, con algunas variantes:

- El **bosque de hoja perenne** es la formación tradicional, adaptada a la sequedad del verano y a la dureza del invierno. Los diferentes tipos de encina (carrasca, alcornoque) son las especies dominantes. Sin embargo, ya casi no quedan bosques: en general, las encinas aparecen dispersas en las llamadas **dehesas*,** como las de Extremadura o la zona occidental de Castilla y León. Sólo en las zonas de montaña se ha conservado el paisaje natural, con formaciones de pinares y robles.
- La **garriga** es una vegetación natural de matorrales, con especies como la coscoja, la retama, el brezo o la jara. Brota donde el bosque ha desaparecido.
- En los suelos más áridos surge la **estepa,** una vegetación más pobre, con plantas más adaptadas a la escasez de agua, como el tomillo o el esparto.

Conceptos

Dehesa: paisaje formado por hierbas y árboles dispersos, como encinas y alcornoques, que en la España interior se utiliza para la cría de ganado.

6.3. El paisaje humanizado

La mayor parte del interior de la Península corresponde hoy a **paisajes agrarios,** fruto de una larga historia de explotación del territorio. Son casi siempre extensas llanuras sin árboles y con algunas colinas como única alteración de la topografía.

Las tierras de cultivo ocupan la mayor parte de las llanuras castellanas y de los valles del Ebro y del Guadalquivir. Son **cultivos extensivos,** que requieren grandes superficies para obtener un rendimiento adecuado. Los cultivos predominantes son los de cereales (trigo, cebada y centeno, principalmente), olivar (en la zona sur, de inviernos más suaves) y la vid, que aprovecha sobre todo los valles próximos a los ríos.

La ganadería de la España interior es muy variada. Predominan las **explotaciones porcinas,** que aprovechan las sierras y los encinares de las dehesas para alimentar el ganado. También hay comarcas, en Extremadura y Salamanca, dedicadas a la **cría del toro de lidia**, en grandes dehesas. Los pastos para el ganado ovino se sitúan en las laderas de las montañas, aunque es un sector en retroceso.

Un típico paisaje manchego.

6.4. Los asentamientos humanos

El **hábitat** del interior de la Península ha sido tradicionalmente **concentrado.** La agricultura extensiva no exige la presencia constante del campesino junto a las tierras cultivadas. Sólo junto a los ríos, donde es posible la agricultura de regadío, surgió un poblamiento más disperso.

Los **pueblos** del interior son **grandes** y en ellos se concentra la población de toda una comarca. Están situados en los valles, casi siempre junto a los ríos o en las encrucijadas de carreteras.

El proceso de concentración, además, se ha agudizado en los últimos tiempos y existen muchos **pueblos pequeños** que han sido **abandonados.** En algunas zonas, como en La Mancha, el crecimiento de los grandes pueblos permite hablar incluso de agrociudades, aunque en ellas va disminuyendo la población campesina y creciendo, al mismo tiempo, la dedicada a la industria y los servicios.

Entre las ciudades más importantes del interior destacan algunas capitales de provincia, como Madrid, Zaragoza, Valladolid o Burgos.

El pueblo de El Romeral, en Toledo, ejemplo del hábitat concentrado del interior.

ACTIVIDADES

13 Observa el climograma de Madrid y contesta:

- ¿Cómo son las temperaturas y las precipitaciones a lo largo del año?
- ¿Cuáles son las causas que explican este tipo de temperaturas y precipitaciones?
- ¿De qué tipo es el clima de Madrid?

14 ¿A qué llamamos cultivo extensivo? Nombra algunos cultivos dominantes de este tipo.

7 El paisaje de la España mediterránea

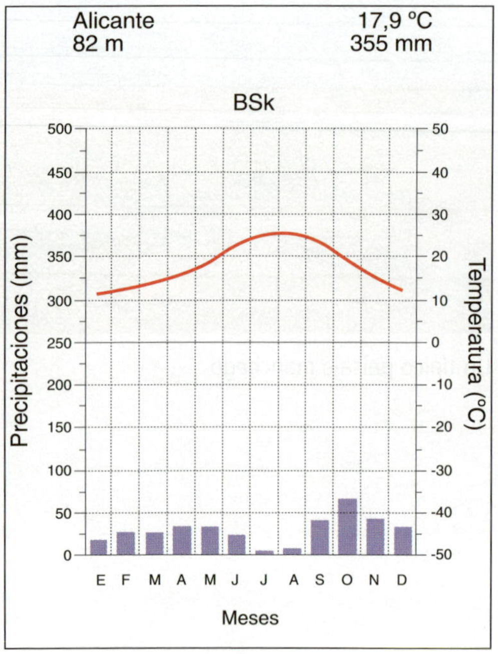

Climograma de Alicante.

Localización del paisaje mediterráneo.

Arrozales en el pueblo murciano de Calasparra.

7.1. El clima

El clima de la costa peninsular oriental y sur se corresponde con el típico mediterráneo. Se caracteriza por **temperaturas muy suaves en invierno,** cuando las medias no bajan de 6 u 8 °C, y **un verano caluroso,** normalmente alrededor de 24 o 25 °C. El viento suave del mar actúa como regulador de las temperaturas y explica que éstas sean moderadas la mayor parte del año.

Las **precipitaciones** son más bien **escasas:** en la mayor parte de la región se sitúan entre los 400 y los 600 mm anuales, siendo algo más elevadas en las zonas montañosas. La mayor parte de las lluvias se producen entre el otoño y la primavera, de forma muy variable. El verano, por el contrario, es muy seco.

En el interior del valle del Guadalquivir y del Ebro las temperaturas son más extremas. En Sevilla o Córdoba los veranos son más calurosos (se alcanzan medias de 28 °C) y en el Ebro los inviernos más rigurosos (4 o 5 °C). Por otro lado, en la costa situada entre Alicante y Granada las precipitaciones disminuyen mucho, hasta el punto de que podemos hablar de aridez.

7.2. El paisaje natural

La costa mediterránea es una de las regiones del planeta más **antiguamente poblada y explotada por el hombre.** Por eso, los paisajes naturales originales prácticamente han desaparecido y sólo quedan algunos restos de las especies que poblaban la región.

El **bosque mediterráneo** originario estaba compuesto por encinares (hoy casi inexistentes), además de pino mediterráneo y alcornoques. Los pinares aparecen en las zonas montañosas y en núcleos escasos y aislados en las zonas bajas. Los alcornoques permanecen en la región suroccidental, gracias a la explotación del corcho.

La degradación del bosque, a causa de la acción humana y de la desertización, da lugar a la aparición del **matorral,** compuesto por arbustos de escasa altura, de hojas perennes, delgadas y rígidas, resistentes a la aridez. Forman un paisaje discontinuo, que alterna con zonas sin vegetación. Las especies son muy diversas y cambian a lo largo de la región. Entre ellas destacan el algarrobo, el palmito, los espárragos, las jaras, el tomillo y el esparto.

7.3. Una región de explotación agraria

Las **áreas de cultivo** ocupan hoy la mayor parte de la superficie de la costa mediterránea, sobre todo en las zonas llanas y en los valles de los ríos.

Entre los **cultivos** más característicos podemos mencionar:

- La **vid** y el **olivo:** son cultivos muy antiguos, que permanecen gracias a su alta rentabilidad y a que se adaptan bien al clima.
- Los **cereales:** se encuentran presentes en aquellos suelos que se adaptan a sus condiciones. Entre ellos destaca la presencia del **arroz,** que aprovecha los humedales, sobre todo en la zona de Valencia.
- Los **árboles frutales:** algunos son extensivos, como la **higuera** o el **almendro.** Otros se asocian al regadío, como ocurre con los cítricos, entre los que destacan el **naranjo** y el **limonero.**
- La **huerta:** se aprovechan los cursos fluviales para desarrollar cultivos intensivos de regadío y obtener altos rendimientos de frutas y hortalizas.
- Los **cultivos industriales:** son tradicionales en las vegas andaluzas, como ocurre con la morera, la caña de azúcar y el algodón.

A diferencia de otras regiones, el área mediterránea presenta una **explotación ganadera más débil.** La dureza del clima y la ausencia de pastos, salvo en áreas de gran altitud, ha dificultado la cría. El ganado porcino es el más relevante.

7.4. El hábitat

El poblamiento tradicional de la región mediterránea ha sido muy diverso. Pueden distinguirse **tres tipos:**

- El **hábitat disperso:** se localiza en las regiones de cultivos intensivos, en zonas bajas y próximas a los ríos. Es típico en la huerta valenciana y murciana, así como en las vegas andaluzas. Las casas son bajas, encaladas, y alrededor de la vivienda se sitúan las dependencias agrícolas, como graneros o corrales.
- El **hábitat concentrado rural:** aparece en toda la región, en pequeños pueblos situados en la costa, en encrucijadas de caminos o junto a los ríos, aunque también en colinas elevadas. Se asocia a la actividad pesquera, en la costa, y a los cultivos extensivos en el interior.
- El **hábitat urbano:** en los últimos siglos, las ciudades han experimentado un fuerte crecimiento, debido a su mayor desarrollo económico. Entre las ciudades más importantes están todas las capitales de provincia sobre todo Barcelona, Valencia, Alicante, Granada, Málaga y Sevilla.

¿Sabías que...?

En las últimas décadas, la evolución de las **técnicas de regadío** ha permitido la expansión de los **cultivos de invernadero,** como el tomate o el pimiento, especialmente en regiones cuya aridez, hasta ahora, había impedido la explotación agraria. Hoy, los invernaderos, formados por enormes extensiones de cubiertas de plástico, ocupan una superficie creciente en la región sudeste, sobre todo en la provincia de Almería.

Invernaderos en tierras de Almería.

También el **hábitat** ha experimentado profundos cambios. Por un lado, el desarrollo del turismo ha hecho crecer muchos de los antiguos pueblos costeros. En ellos, la población autóctona se mezcla con nuevos residentes españoles y extranjeros. Casos como Gandía, Benidorm o Marbella son un buen ejemplo, aunque el fenómeno afecta hoy a casi todos los pueblos de la costa. Pese a la existencia de una Ley de Costas que prohíbe construir junto al mar, este tipo de paisajes se sigue extendiendo por la geografía peninsular. Por otro lado, una buena parte de la población del campo se ha trasladado a los pueblos y, sobre todo, a las grandes ciudades.

Actividades

15 Observa el climograma de Alicante y contesta:

¿Cómo son las temperaturas y las precipitaciones a lo largo del año? ¿Cuáles son las causas que explican este tipo de temperaturas y precipitaciones? ¿De qué clase es el clima de Alicante?

16 Relaciona en tu cuaderno los lugares y actividades de la columna de la izquierda con el tipo de hábitat correspondiente:

Cultivos intensivos •	
Ciudades costeras •	• Hábitat disperso
Actividad pesquera •	• Hábitat concentrado rural
Huerta murciana •	• Hábitat urbano
Zonas próximas a los ríos •	

17 ¿Qué árboles forman el paisaje característico de la España mediterránea?

8 LOS PAISAJES INSULARES (I): LAS ISLAS BALEARES

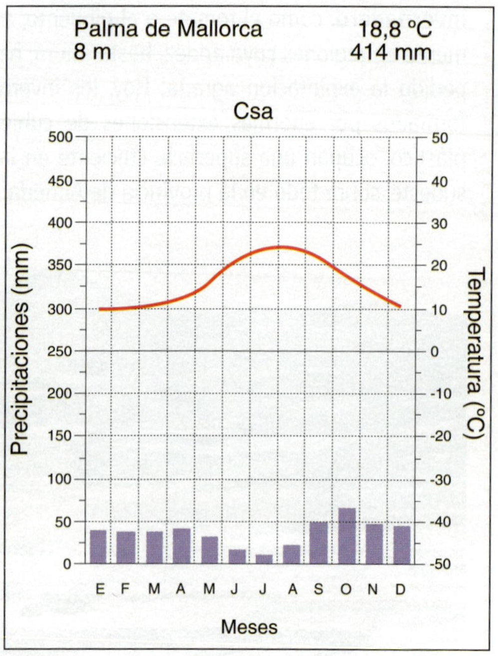

Climograma de Palma de Mallorca.

8.1. Las islas Baleares: el medio físico

El archipiélago balear está formado por las islas de **Mallorca, Menorca, Ibiza, Formentera y Cabrera,** además de otras islas menores. A pesar de que forman un archipiélago bastante agrupado, tienen un **origen geológico muy distinto.**

Las islas de **Ibiza y Mallorca,** las más próximas a la Península, **forman parte de la Cordillera Bética.** Constituyen una prolongación del plegamiento y están unidas con el cabo de la Nao, en Alicante, a través del fondo del mar. En Mallorca, de hecho, las dos cordilleras, la Tramontana y la Sierra de Levante, siguen la dirección de los pliegues béticos, con una llanura en el centro.

La isla de **Menorca,** por el contrario, tiene una topografía y unos materiales que la relacionan con antiguas **cordilleras catalanas,** de las que sería prolongación.

Su **clima** es el **típicamente mediterráneo,** con temperaturas medias de más de 10 °C en invierno y de 25 °C en verano. Las precipitaciones rondan los 500 mm, muy escasas, si tenemos en cuenta que el archipiélago está en medio del Mediterráneo. Por eso, y por la escasa extensión del territorio, **no hay ríos:** cuando llueve, el agua vierte en torrenteras hacia el mar.

Mapa de las islas Baleares.

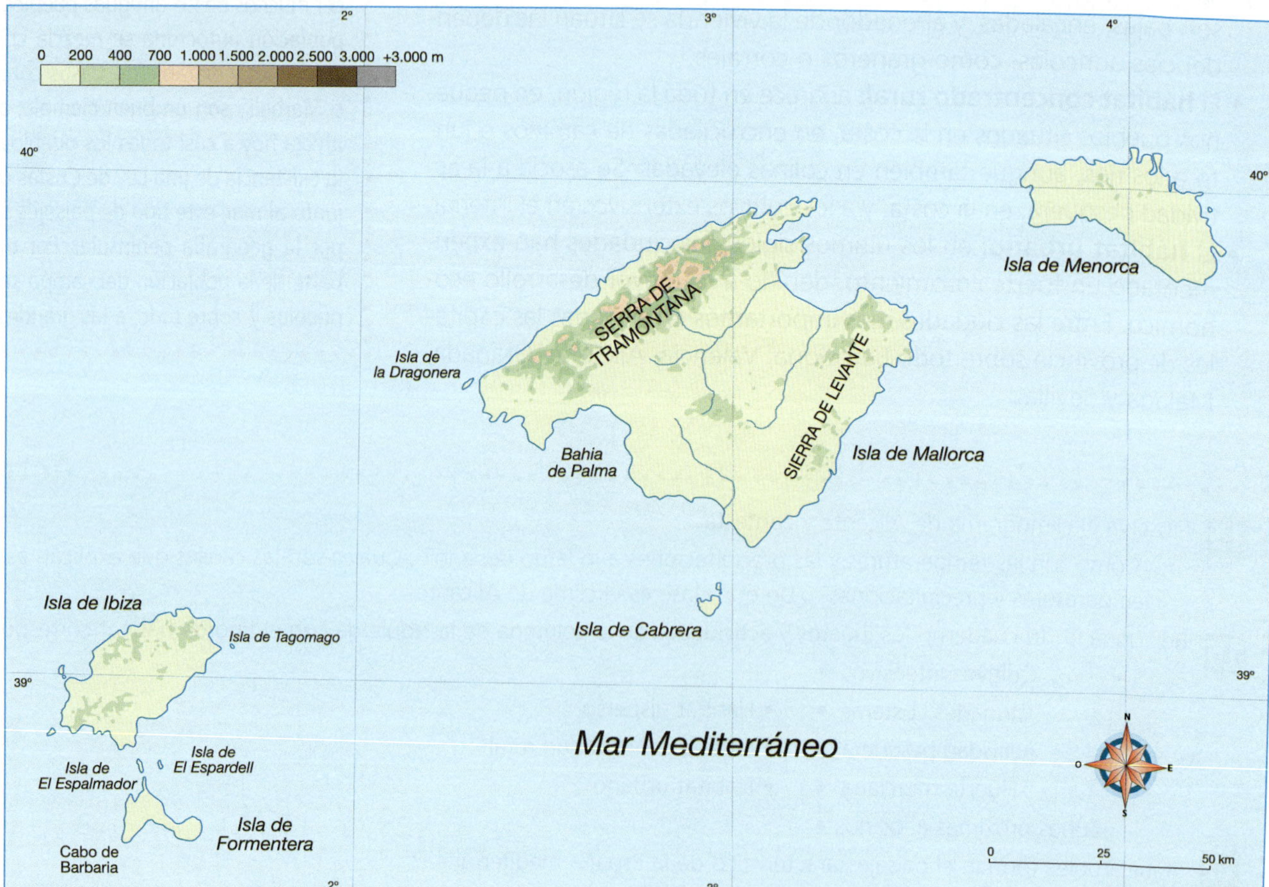

La bahía de Palma de Mallorca.

El paisaje natural es también el del medio mediterráneo. Al encinar, que antiguamente ocupaba buena parte del territorio, le fue sustituyendo poco a poco el pinar, que hoy predomina allí donde la vegetación natural permanece, sobre todo en las áreas montañosas.

8.2. El paisaje humano de las Baleares

La **explotación agraria antigua,** basada en el olivo, la vid y el cereal, está en regresión. Sólo el trigo sigue ocupando cierta extensión en la llanura mallorquina. Los almendros y algarrobos, las hortalizas y los frutales son, como en la costa peninsular, los cultivos dominantes. La ganadería se limita a la explotación del ganado porcino y a rebaños de ovejas y cabras en las zonas altas.

El **poblamiento tradicional** es **mixto,** alternando el disperso, en los valles, con pueblos relativamente grandes. La explotación turística, no obstante, también lo está transformando, haciendo crecer la población de los pueblos de la costa.

Actividades

18 Observa el climograma de Palma de Mallorca y contesta:

- ¿Cómo son las temperaturas y las precipitaciones a lo largo del año?
- ¿Qué causas explicarían este tipo de temperaturas y precipitaciones?
- ¿De qué tipo es el clima de Mallorca?

19 Explica el origen geológico de las islas Baleares.

20 ¿De qué tipo es el paisaje natural en las islas?

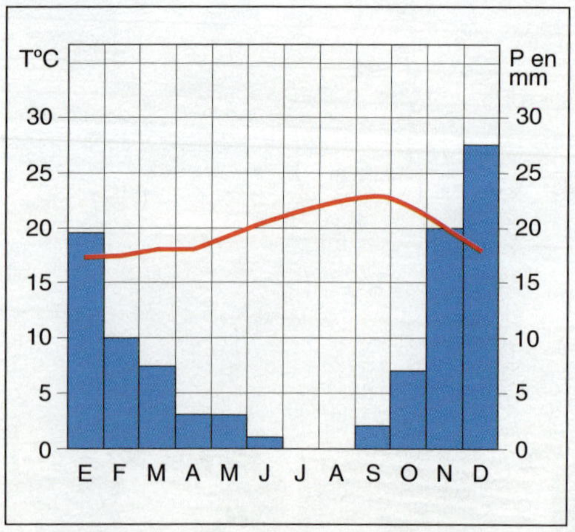

Climograma de Las Palmas de Gran Canaria.

9.1. Las islas Canarias

El archipiélago de las Canarias, situado junto a la costa de África, está formado por siete islas mayores: **Gran Canaria, Tenerife, Fuerteventura, Lanzarote, La Palma, La Gomera** y **El Hierro;** y otras menores.

Su origen es volcánico. Están compuestas por materiales eruptivos que han ido aflorando desde hace 30 millones de años a través de las fallas producidas por el contacto entre la placa continental africana y la atlántica. Las erupciones continúan, por lo que su relieve, muy accidentado, está en constante cambio.

Los suelos fértiles son escasos y la **roca volcánica** aparece en la superficie por todas partes. El Teide, en Tenerife, con sus 3.718 m, es el pico más alto de España, a tan sólo 20 km de la costa. **Apenas hay ríos** y los que existen tienen un recorrido corto y un caudal escaso.

El clima es subtropical. Las temperaturas son muy suaves, por influencia del Atlántico: no bajan de los 15 °C en invierno y no superan los 26 °C en verano. Las lluvias son escasas, unos 250 mm, casi todas en invierno y más abundantes en las zonas altas.

Mapa de las islas Canarias.

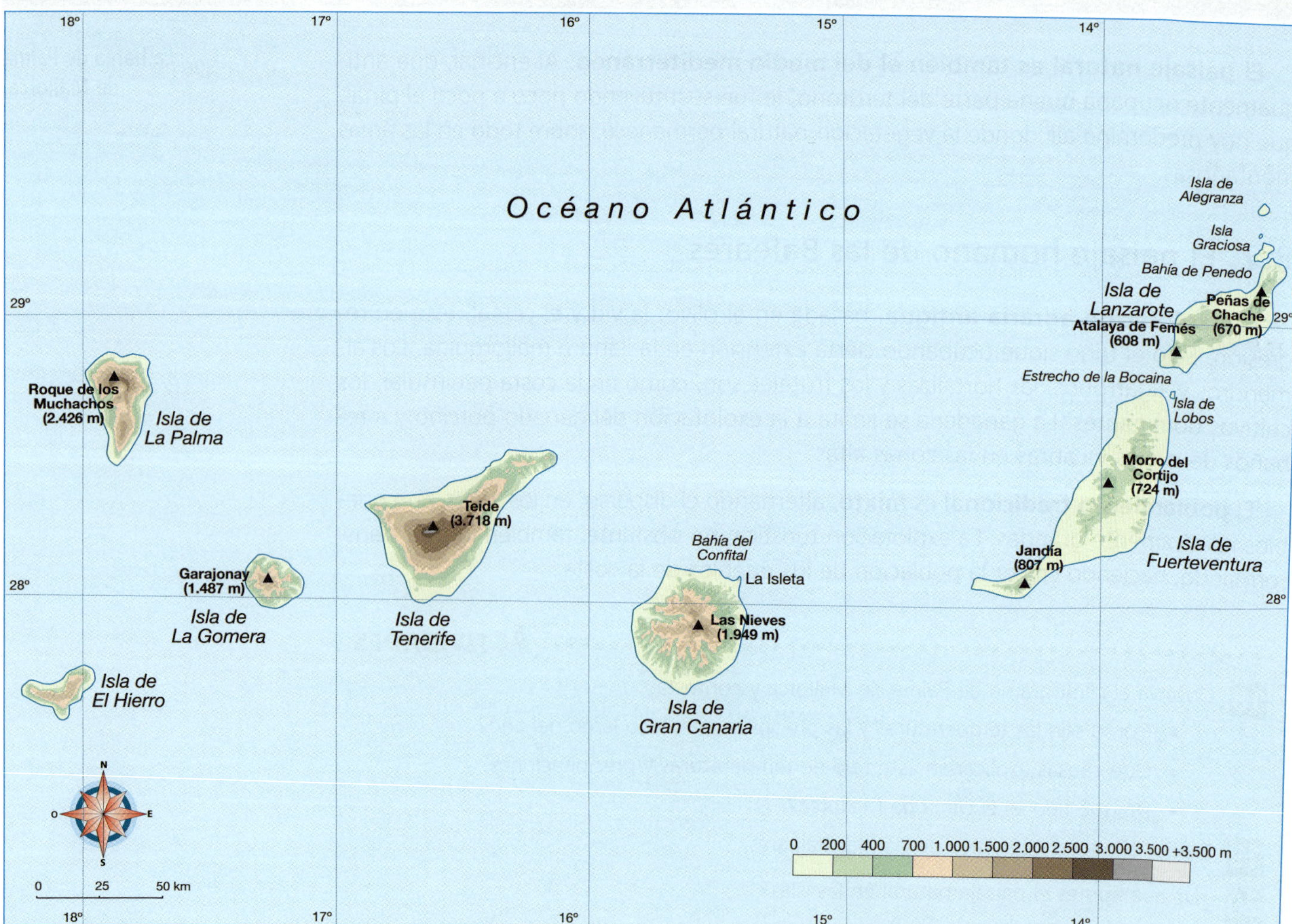

El Teide, la montaña más alta de España, es un volcán aún activo, que periódicamente experimenta erupciones.

La vegetación canaria es muy original. Muchas especies son autóctonas y sólo se encuentran allí y en otras islas atlánticas de la misma latitud, como Madeira o Azores. Entre las especies más características está la laurisilva, el drago, la palmera o el pino canario. También hay especies de tipo mediterráneo, adaptadas tras la colonización por los españoles.

9.2. La agricultura y el poblamiento canarios

La **ausencia de suelos fértiles y de agua** dificultó siempre la agricultura en las islas Canarias. Aun así, los **modernos sistemas de riego** y la utilización de **técnicas innovadoras** han permitido aprovechar los suelos existentes y desarrollar una **agricultura de exportación,** basada en el plátano, el tomate, el tabaco y los frutales.

Las islas Canarias están **densamente pobladas:** son la octava Comunidad Autónoma en población y superan tres veces la densidad media de España. En su mayoría, la población se agrupa en las grandes ciudades y en pueblos de tamaño medio. La explotación turística y la llegada de inmigrantes han producido un crecimiento demográfico reciente, que se concentra en los servicios y que se sitúa en las ciudades costeras.

Actividades

21 Observa el climograma de Las Palmas de Gran Canaria y contesta:

- ¿Cómo son las temperaturas y las precipitaciones a lo largo del año?
- ¿Qué causas explicarían este tipo de temperaturas y precipitaciones?
- ¿De qué tipo es el clima de Las Palmas?

22 Explica el origen geológico de las islas Canarias.

APÉNDICE

10 LA ACCIÓN HUMANA Y EL MEDIO AMBIENTE EN ESPAÑA

Un país con graves problemas medioambientales

España presenta los mismos problemas medioambientales que el resto del planeta. Sin embargo, algunos de ellos revisten una especial gravedad a causa de razones históricas y geográficas.

La **desertización** es un problema creciente. Hace cientos de años, la península Ibérica estaba cubierta de bosques y la fauna y la flora eran muy ricas. Sin embargo, la explotación de los recursos minerales y la progresiva expansión de las tierras de cultivo fueron eliminando, poco a poco, la vegetación natural. Ese proceso se ha acelerado enormemente en los dos últimos siglos y a él han contribuido en las últimas décadas los incendios forestales y la urbanización masiva en muchas zonas del país.

La **desaparición de la capa vegetal** ha dejado los suelos al descubierto, por lo que los procesos de erosión han ido eliminando las capas superficiales, precisamente las que garantizan la fertilidad. Las sequías prolongadas y la falta de agua han contribuido también a agravar la situación. El resultado es que una buena parte del territorio es hoy ya irrecuperable para la flora y fauna de nuestro país.

La **escasez de agua** es otro problema cada vez más acuciante. El consumo se ha disparado en las últimas décadas a causa del crecimiento de población, pero sobre todo por un gasto excesivo, provocado por la extensión de los regadíos, la construcción y el aumento de la urbanización. Al consumo exagerado se une la cada vez menor cantidad de lluvias, que se acusa mucho más en los años climáticamente más secos.

La **contaminación** también ha aumentado. La del aire ha ido creciendo como consecuencia de un incremento en el consumo de energía –que en España aún se basa sobre todo en el uso de combustibles fósiles– en calefacciones, transporte y procesos industriales. El desarrollo económico también ha hecho crecer los vertidos y la contaminación de las aguas, tanto superficiales como subterráneas.

Las medidas de protección ambiental

Las **leyes protectoras del medio ambiente** son **relativamente recientes** en nuestro país. La Ley de Conservación de los Espacios Naturales y de la Flora y Fauna Silvestre es de 1989 y se elaboró siguiendo las directivas de la Unión Europea. En ella se recogen medidas encaminadas a preservar los espacios naturales y la biodiversidad.

La **protección de los espacios** incluye la declaración de **cuatro tipos de espacios** que hay que proteger, según su extensión, el valor del ecosistema que albergan y el grado de acción humana que se autoriza. Los más protegidos son algunos de los **Parques Nacionales,** en los que la explotación de los recursos está muy limitada y la vigilancia para su conservación es constante. A las figuras de protección españolas se añaden otras denominaciones de ámbito europeo (Natura 2000) o mundial (Reserva de la Biosfera), que también están presentes en nuestro país.

La **protección de la biodiversidad** incluye, además de la preservación de su entorno, medidas para mantener los suelos, marismas y recursos forestales. Asimismo, se han catalogado las **especies** que están en **peligro de extinción,** como el lince ibérico o el quebrantahuesos, y se dedican recursos a preservar y, en su caso, a intentar la procreación de las especies más vulnerables en centros especiales.

Para conseguir la **recuperación de áreas forestales** las leyes españolas han establecido medidas de prevención de los incendios y de recuperación de las áreas devastadas por ellos. También se ha obligado a elaborar **estudios de impacto ambiental** previos a la realización de obras públicas y proyectos de urbanización que puedan poner en peligro el medio ambiente.

Fuente: Programa de Conservación Ex Situ del Lince Ibérico.

El lince ibérico, una de las especies de la Península más amenazadas de extinción.

El desarrollo sostenible

Como en el resto de los países de la Unión Europea, en España se han adoptado medidas para **reducir el consumo de energías fósiles** y para conseguir una progresiva **conversión hacia las energías renovables,** de las que el potencial de nuestro país es importante.

También se ha extendido, aunque lentamente, el **tratamiento de residuos sólidos urbanos,** la **depuración de las aguas residuales** y la **vigilancia sobre los vertidos incontrolados.** Al mismo tiempo, las autoridades intentan promover un consumo racional del agua, limitando los regadíos, los procesos de urbanización incontrolada y el despilfarro de los recursos hídricos.

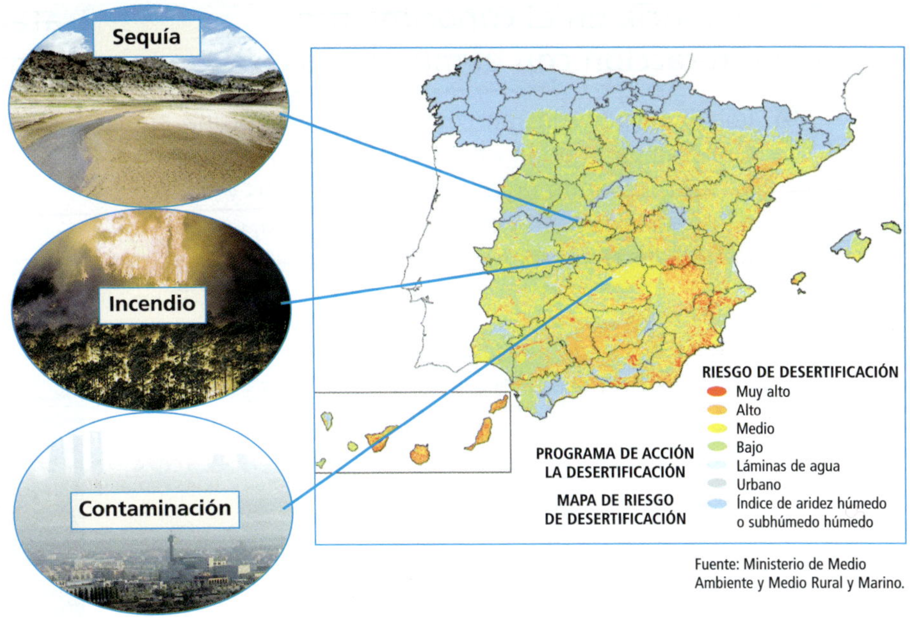

Fuente: Ministerio de Medio Ambiente y Medio Rural y Marino.

Actividades

1 La desertización se ha acelerado en España en los últimos dos siglos y, sobre todo, en las últimas décadas. Si el problema se inició a comienzos del siglo XIX, ¿cuántas décadas han transcurrido hasta este año?

2 Teclea «desertización en España» en el buscador del sitio web <www.elmundo.es> y contesta en tu cuaderno a las siguientes cuestiones:

a) ¿Qué zonas de España tienen un riesgo más alto de desertización?

b) ¿Qué tanto por ciento de la superficie española está afectada por este problema?

c) ¿En qué provincias es mayor este riesgo? ¿A qué comunidades autónomas pertenecen?

3 Explica la relación que existe entre la sequía, los incendios y la contaminación, y el cada vez mayor avance de la desertización en España.

4 La mayor parte de la energía utilizada en España es la que se obtiene a partir de los combustibles fósiles, pero ¿qué otras energías se emplean?, ¿cómo se obtienen? Si te hace falta, consulta libros de referencia o internet.

5 ¿Qué objetivo tienen los estudios de impacto medioambiental? ¿Cómo se realizan? Si te hace falta, consulta libros de referencia o internet.

6 En España tenemos los siguientes Parques Nacionales: Aigüestortes i Estany de Sant Maurici, Archipiélago de Cabrera, Cabañeros, Caldera de Taburiente, Doñana, Garajonay, Marítimo-Terrestre de las Islas Atlánticas de Galicia, Monfragüe, Ordesa y Monte Perdido, Picos de Europa, Sierra Nevada, Tablas de Daimiel, Teide y Timanfaya.

Ahora realiza los siguientes ejercicios:

- Dibuja en tu cuaderno un mapa de España y colorea la ubicación de los Parques Nacionales.
- Copia un cuadro como éste y complétalo.

Parque Nacional	Provincia	Comunidad

7 Escribe en una columna diez formas en las que habitualmente despilfarramos el agua. En la columna de al lado, indica otras diez maneras de ahorrar este elemento imprescindible para la vida en la Tierra.

8 Explica el significado de las siguientes palabras. Si te hace falta, consulta el diccionario:

Década • Erosión • Fertilidad • Vertidos

9 Haz un trabajo en el que expongas todas aquellas acciones o actitudes que se llevan a cabo en tu entorno y que, en tu opinión, perjudican al medio ambiente. A continuación, indica qué medidas deberían adoptarse para evitarlas. Haz una puesta en común con tus compañeros y, asesorados por vuestro profesor, enviad una copia del trabajo resultante a la Concejalía de Medio Ambiente de vuestro ayuntamiento u organismo equivalente.

PRACTICA COMPETENCIAS

Competencia en el conocimiento y la interacción con el mundo físico

1 Imagina que viajas en coche desde La Coruña a Granada pasando por Madrid. Dibuja un mapa de la ruta, situando unidades de relieve, ríos y tipos de paisajes que atraviesas. Si te hace falta, consulta un atlas o internet.

2 Indica qué río atraviesa cada una de las siguientes ciudades (si te hace falta, consulta un atlas o internet):

Lugo • Mérida • Murcia • Sevilla
Soria • Toledo • Valencia • Zaragoza

3 Escribe el tipo de paisaje y clima de la zona en la que vives.

4 Si quisieras observar la sierra de Guadarrama, ¿qué sistema montañoso tendrías que visitar? ¿Qué comunidades autónomas recorre este sistema? Si te hace falta, consulta un atlas o internet.

Otoño en la sierra de Guadarrama.

Tratamiento de la información y competencia digital

5 Consulta la web <es.wikipedia.org/wiki/Demografía_de_España> y nombra las seis ciudades españolas más pobladas, indicando el número de sus habitantes. Para actualizar este dato entra en la web del Instituto Nacional de Estadística.

Barcelona, uno de los municipios más densamente poblados de España.

6 España tiene una superficie de 506.000 km^2. Escribe el nombre y la extensión territorial de aquellos países europeos que tienen mayor superficie. Si necesitas ayuda puedes entrar en <http://es. wikipedia.org/wiki/Anexo:Países_por_superficie>.

Competencia para aprender a aprender

7 Escribe en tu cuaderno, junto a cada nombre, el del río del que es afluente. Si te hace falta, consulta un atlas o internet.

Alagón • Alberche • Aragón
Genil • Jalón • Jarama • Pisuerga
Sil • Tormes

8 ¿En qué tres áreas dividimos la España peninsular en función del clima?

9 Elabora una gráfica de barras con la longitud de los siguientes ríos: Miño, Duero, Tajo, Guadiana, Guadalquivir y Ebro. Si te hace falta, consulta libros de referencia o internet.

10 Completa en tu cuaderno el siguiente cuadro:

Comunidad	Relieve	Clima	Vegetación	Ríos	Hábitat
Galicia					
Castilla-La Mancha					
Andalucía					

11 ¿A qué especie pertenece el árbol que aparece en la imagen? ¿En qué clima se encuentra? ¿Qué características tiene este clima? Si quisieras ver uno, ¿a qué comunidad autónoma tendrías que viajar? ¿Qué otras especies podrías observar en esa comunidad? Explica el tipo de hábitat que ves en la fotografía.

Fuente: http://benisri.com.

12 ¿Qué vertiente es más estrecha, la Atlántica o la Mediterránea? ¿Por qué? ¿De qué forma influye este hecho en los ríos mediterráneos?

13 Copia en tu cuaderno la siguiente tabla e indica de qué tipo de vegetación son características las siguientes especies: brezo, tomillo, helecho, palmito, retama, esparto, jara y coscoja. No olvides que una misma especie puede aparecer en más de un tipo de vegetación.

Vegetación	Especies
Garriga	
Estepa	
Landa	
Matorral	
Selvas húmedas	
Bosques	

14 ¿Qué cultivos están en regresión en las islas Baleares? ¿Cuáles son los dominantes?

Competencia en comunicación lingüística

15 Explica el significado de las siguientes palabras, teniendo en cuenta su contexto en el tema. Si te hace falta, consulta el diccionario:

Aluvión • Sinuoso • Estiaje • Perenne

16 En Geografía, el término «puerto» tiene dos acepciones. Explícalas.

PÁGINAS WEB

Las siguientes páginas web te pueden ayudar en el estudio de esta unidad:

Aquí encontrarás gran cantidad de datos sobre demografía española:

es.wikipedia.org/wiki/Demografía_de_España

Mapas interactivos físicos y políticos de España que te permitirán aprender y repasar este tema como si se tratara de un juego:

www.xtec.cat/~ealonso/flash/mapasflash.htm

Web que te permitirá conocer todo lo relacionado con los Parques Nacionales de España:

reddeparquesnacionales.mma.es/

Además de aprender sobre los Parques Nacionales de España, podrás conocer los Parques existentes en todos los continentes:

www.porlibre.com/parque_nacional.asp

Web oficial del Ministerio de Medio Ambiente:

www.marm.es

Web oficial de Greenpeace:

www.greenpeace.org/espana

Anexo cartográfico

Mapas

Gráficos

30° 0° 30° 60° 90° 120° 150° 180°
Océano Ártico
Mar de Groenlandia
Mar de Noruega
Islas Feroe (Din)
Islandia
Islas Hébridas
Mar del Norte
Cabo Norte
Mar de Barents
Nueva Zembla
Mar de Kara
Mar de Laptev
Nueva Siberia
PENÍNSULA DE KOLA
MONTES ESCANDINAVOS
PENÍNSULA ESCANDINAVA
Lago Onega
Lago Ladoga
Mar Báltico
ALTURAS DEL VOLGA
MONTES URALES
MESETA DE RUSIA CENTRAL
LLANURA DE SIBERIA OCCIDENTAL
MESETA DE SIBERIA CENTRAL
Yenisei
Lena
MONTES VERJOYANSK
MONTES CHERSKI
Mar de Bering
Mar de Ojotsk
PENÍNSULA DE KAMCHATKA
Sajalín
Islas Kuriles
Amur
Lago Baikal
Obi
Ural
Volga
Vístula
Dniéper
Canal de la Mancha
Sena
Rin
ALPES
CÁRPATOS
Danubio
Golfo de Vizcaya
Cabo Finisterre
PIRINEOS
Montblanc (4.807 m)
Córcega
Cerdeña
Tajo
Islas Baleares
Cabo de San Vicente
Estrecho de Gibraltar
Sicilia
Creta
Cabo Bon
Mar Mediterráneo
PENÍNSULA DE LOS BALCANES
Mar Negro
Elbrus 5.642 m
CÁUCASO
Mar Caspio
ANATOLIA
Mar de Aral
Lago Baljash
ALTAI
GOBI
MONTES HANGAI
MONTES ELBURZ
MONTES ZAGROS
HINDUKUSH
K2 (8611 m)
MONTES KUENLUN
TIBET
HIMALAYA
Lhotse (8501 m)
Everest (8.850 m)
Kanchenjunga (8.586 m)
Yangtsé
Huang He
Mar de Japón
PENÍNSULA DE COREA
Honshu
Archipiélago de Japón
Hokkaido
Fujiyama 3. 776 m
Ryukyu
Mar de la China Oriental
Taiwan
Madeira
CORDILLERA DEL ATLAS
Islas Canarias
DESIERTO DE LIBIA
AHAGGAR
SAHARA
TIBESTI
SUDÁN
Delta del Nilo
Lago Nasser
Nilo
Canal de Suez
Mar Rojo
Éufrates
Tigris
Golfo Pérsico
PENÍNSULA ARÁBIGA
Golfo de Omán
Indo
Ganges
Mar Arábigo
DECÁN
GHATES OCCIDENTALES
GHATES ORIENTALES
Golfo de Bengala
Rojo
Mekong
Hainan
Mar de Filipinas
Océano Pacífico
Islas Marianas
Archipiélago de las islas Filipinas
Islas Marshall
MICRONESIA
Mar de la China Meridional
PENÍNSULA DE INDOCHINA
Islas de Andamán
Sri Lanka
PENÍNSULA DE MALACA
Cabo Verde
Senegal
Níger
Lago Chad
Benue
Nilo Azul
Nilo Blanco
Golfo de Adén
Socotora
Cabo Guardafui
MACIZO ETIÓPICO
Lago Turkana
Lago Volta
Golfo de Guinea
Santo Tomé
CUENCA DEL CONGO
Lago Alberto
Kenya (5.199 m)
Ruwenzori (5.109 m)
Lago Victoria
Kilimanjaro (5.895 m)
Congo
Océano Atlántico
Delta del Níger
Lago Tanganica
Archipiélago de las Comoras
Lago Malawi
Zambeze
Canal de Mozambique
Cataratas Victoria
Okavango
Cabo Frío
DESIERTO DE NAMIBIA
DESIERTO DE KALAHARI
Orange
DRAKENSBERG
Delta del Okavango
Cabo de Buena Esperanza
Cabo de las Agujas
Cabo de Recife
Madagascar
Reunión
Cabo Santa María
Océano Índico
Cabo Comorin
Palaos
Islas Carolinas
Islas Gilbert
Nauru
Borneo
Sumatra
Islas Célebes
Islas Molucas
Archipiélago de Indonesia
Java
Nueva Guinea
Mar de Bismarck
Monte Wilhelm (4.509 m)
MELANESIA
Mar de Salomón
Islas Salomón
Mar de Timor
PENÍNSULA DE CABO YORK
Mar de Coral
Gran Barrera de Arrecifes
Fiji
Islas Nuevas Hébridas
Nueva Caledonia
GRAN DESIERTO DE ARENA
Mnte Zeil (1.531 m)
GRAN CUENCA ARTESIANA
GRAN DESIERTO VICTORIA
GRAN CORDILLERA DIVISORIA
Darling
Cabo Naturalista
Cabo de Leeuwin
Gran Bahía Australiana
Mar de Tasmania
Cabo Howe
Cabo Norte
Isla del Norte
Tasmania
Cabo Sudeste
Cook (3.754 m)
Isla del Sur
Cabo Sudoeste
Príncipe Eduardo
Meridiano de Greenwich
TIERRA DE LA REINA MAUD
TIERRA DE WILKES
TIERRA DE LA REINA VICTORIA
0 -1.000 -2.000 -3.000 -4.000 -5.000 -6.000 -7.000 -8.000 -8.000 m

2 África físico

Mar Mediterráneo
Estrecho de Gibraltar
Madeira
Islas Canarias
Golfo de Sirte
Canal de Suez
Mar Rojo
Golfo de Adén
Golfo de Guinea
Canal de Mozambique
MARRUECOS
Rabat
ARGELIA
Argel
TÚNEZ
Túnez
Trípoli
LIBIA
EGIPTO
El Cairo
SAHARA OCCIDENTAL
El Ai
MAURITANIA
MALI
NÍGER
CHAD
SUDÁN
Jartum
ERITREA
Asmara
DJIBOUTI
Djibouti
ETIOPÍA
Addis Abeba
SOMALIA
Mogadiscio
Dakar
SENEGAL
Banjul
GAMBIA
Bissau
GUINEA BISSAU
GUINEA
Conakry
Freetown
SIERRA LEONA
Monrovia
LIBERIA
COSTA DE MARFIL
Yamoussoukro
Bamako
BURKINA FASO
Ouagadougou
Niamey
GHANA
Accra
TOGO
Lome
BENIN
Porto-Novo
NIGERIA
Abuja
N'Djamena
CAMERÚN
Yaoundé
REPÚBLICA CENTROAFRICANA
Bangui
Malabo
GUINEA ECUATORIAL
SÃO TOME Y PRINCIPE
São Tome
Libreville
GABÓN
CONGO
Brazzaville
Kinshasa
REP. DEM. DEL CONGO
UGANDA
Kampala
KENIA
Nairobi
RWANDA
Kigali
BURUNDI
Bujumburá
TANZANIA
Dodoma
SEYCHELLES
Victoria
COMORAS
Moroni
Luanda
ANGOLA
ZAMBIA
Lusaka
MALAWI
Lilongwe
Harare
ZIMBABUE
MOZAMBIQUE
Maputo
SWAZILANDIA
Mbabane
Antananarivo
MADAGASCAR
Windhoek
NAMIBIA
BOTSWANA
Gaborone
Pretoria
Bloemfontein
Maseru
LESOTHO
SUDÁFRICA
Ciudad del Cabo
CABO VERDE
Praia
MAURICIO
Port Louis
Reunión
St.-Pierre
REUNIÓN (Fr.)
0° Ecuador
15°O
0°
15°E
30°E
45°E
45°N
30°N
15°N
0°
15°S
30°S
45°S
N
S
E
O
0
750
1.500 km

América del Sur y Centroamérica físicos

Golfo de México
La Habana
Nassau
BAHAMAS
CUBA
ISLAS CAIMÁN (RU)
REPÚBLICA DOMINICANA
PUERTO RICO (EEUU)
HAITÍ
Puerto Príncipe
Santo Domingo
San Juan
Kingston
JAMAICA
Belmopan
BELIZE
GUATEMALA
Guatemala
HONDURAS
Tegucigalpa
San Salvador
EL SALVADOR
NICARAGUA
Managua
COSTA RICA
San José
Panamá
PANAMÁ
Mar Caribe
Baseterre
SAN CRISTÓBAL Y LAS NIEVES
St. John's
ANTIGUA
GUADALUPE (Fr.)
Roseau
DOMINICA
MARTINICA(Fr.)
S. VICENTE Y LAS GRANADINAS
Kingstown
Castries
STA. LUCÍA
Bridgetown
BARBADOS
St George's
GRANADA
Puerto España
TRINIDAD y TOBAGO
Caracas
VENEZUELA
Paramaribo
Georgetown
Cayena
SURINAM
GUAYANA
GUAYANA FRANCESA
Bogotá
COLOMBIA
Quito
ECUADOR
Islas Galápagos
Ecuador
PERÚ
Lima
BRASIL
Brasilia
BOLIVIA
La Paz
PARAGUAY
Asunción
Islas Desventuradas
CHILE
Océano Pacífico
Archipiélago de Juan Fernández
Robinson Crusoe
Santiago
Buenos Aires
URUGUAY
Montevideo
ARGENTINA
Océano Atlántico
Islas Malvinas (RU)
Mar de Scotia
Islas Georgias del Sur
N
O
E
S
0
1.000
2.000 km
90°O
75°O
60°O
45°O
30°O
15°N
0°
15°S
30°S
45°S

Océano Glacial Ártico
Mar de Chukchi
Mar de Groenlandia
Groenlandia
Mar de Bering
Islas Aleutianas
Mar de Beaufort
Islas de la Reina Isabel
Bahía de Baffin
Baffin
Estrecho de Davis
ALASKA
Yukon
Blackburn (4.996 m)
McKinley (6.194 m)
Foraker (5.304 m)
MONTES DE ALASKA
St. Elias (5489 m)
Logan (6.050 m)
Golfo de Alaska
MONTES MACKENZIE
Mackenzie
Victoria
Gran Lago del Oso
Gran Lago del Esclavo
Mar de Labrador
Bahía de Hudson
LABRADOR
Terranova
Isla de la Reina Carlota
Vancouver
Saskatchewan
Lago Winnipeg
Golfo de San Lorenzo
Cabo Race
MONTAÑAS ROCOSAS
San Lorenzo
Lago Superior
Lago Hurón
Lago Ontario
Lago Michigan
Lago Erie
Missouri
GRANDES LLANURAS
Cabo Mendocino
SIERRA DE LA COSTA
Colorado
Elbert (4.396 m)
Ohio
MONTES APALACHES
Arkansas
Mississippi
Océano Atlántico
Guadalupe (Méx.)
Delta del Mississippi
PENÍNSULA DE FLORIDA
Cabo Cañaveral
BAJA CALIFORNIA
Golfo de California
SIERRA MADRE OCCIDENTAL
SIERRA MADRE ORIENTAL
Río Grande
Cabo Sable
Cabo San Lucas
Golfo de México
Cabo Catoche
Clarión
San Benedicto
Socorro I.
Is. Benito Juárez (Méx.)
Iztaccíhuatl (5.230 m)
Volcán Popocatépetl (5.452 m)
Volcán Pico de Orizaba (5.610 m)
PENÍNSULA DE YUCATÁN
Mar Caribe
Océano Pacífico
N
O
E
S
0
500
1.000 km
0 200 500 1000 2000 3000 4000 5000+ 5000 m
60° N
75° N
75° N
15° O
180°
60° N
165° O
30° O
45° O
150° O
45° N
45° N
60°
30° N
30° N
135°
15° N
15° N
120° O
105° O
90° O
75° O

Océano Glacial Ártico
Mar de Chukchi
Mar de Groenlandia
Mar de Bering
Mar de Beaufort
Islas de la Reina Isabel
Groenlandia
Bahía de Baffin
Victoria
Baffin
Estrecho de Davis
Alaska (EEUU)
Golfo de Alaska
Mar de Labrador
Bahía de Hudson
Golfo de San Lorenzo
CANADÁ
Ottawa
Washington
ESTADOS UNIDOS
Océano Atlántico
Guadalupe (Méx)
Golfo de California
BAHAMAS
Nassau
Golfo de México
MÉXICO
Clarión
San Benedicto
Socorro I.
Islas Benito Juárez (Méx)
México DF
Mar Caribe
Océano Pacífico
N
O
E
S
0
500
1.000 km
60° N
75° N
15° O
180°
60° N
30° O
165° O
45° O
150° O
45° N
60°
30° N
135°
30° N
15° N
15° N
120° O
105° O
90° O
75° O

Océano Glacial Ártico
Océano Pacífico
Océano Índico
Mar de Barents
Nueva Zembla
Mar de Kara
Mar de Laptev
Islas de Nueva Siberia
Mar de Bering
Mar de Ojotsk
Sajalín
Kuriles
Hokkaido
Archipiélago de Japón
Honshu
Fujiyama (3.776 m)
PENÍNSULA DE KAMCHATKA
PENÍNSULA DE KOLA
MONTES URALES
Ural
Volga
Obi
Yenisei
Lena
Amur
LLANURA DE SIBERIA OCCIDENTAL
MESETA DE SIBERIA CENTRAL
Lago Tajmyr
MONTES VERJOYANSK
MONTES CHERSKI
MESETA YANOBLOVI
MONTES YABLONOI
LLANURA CHINA SEPTENTRIONAL
PENÍNSULA DE COREA
Lago Baikal
ALTAI
MONTES HANGAI
GOBI
MESETA DE MONGOLIA
Huang He
Huang Ho
Lago Qinghai
LLANURAS DEL YANGTSÉ
Yangtsé
Lago Poyang
Mar de la China Oriental
Ryukyu
Taiwán
Mar de Filipinas
Mar de Aral
Lago Baljash
Lago Issyk-Kul
TIANSHAN
Pobedy (7.439 m)
DESIERTO DE TAKLA MAKAN
MONTES KUENLUN
MESETA DEL TIBET
K2 (8.611 m)
KARAKORUM
HIMALAYA
Daulagiri (8.172 m)
Manaslu (8.156 m)
Cho Oyu (8.153 m)
Lhotse (8.501 m)
Everest (8.850 m)
Makalu (8.481 m)
Kanchenjunga (8.586 m)
HINDUKUSH
Indo
Ganges
Rojo
Mekong
Mar Negro
Mar de Azov
CORDILLERA PÓNTICA
ANATOLIA
CÁUCASO
Elbrus (5.642 m)
Mar Caspio
Lago Urmia
MONTES ELBURZ
MONTES ZAGROS
MESETA DE IRÁN
Tigris
Éufrates
Golfo Pérsico
Golfo de Omán
PENÍNSULA ARÁBIGA
Mar Rojo
Golfo de Adén
Socotora
Mar Arábigo
Islas Laquedivas
Islas Maldivas
MESETA DEL DECCAN
GHATES OCCIDENTALES
GHATES ORIENTALES
Cabo Comorín
Sri Lanka
Golfo de Bengala
Islas Andamán
Mar de Andamán
PENÍNSULA DE INDOCHINA
PENÍNSULA DE MALACA
Mui Ca Mau
Hainan
Mar de la China Meridional
Archipiélago de las Islas Filipinas
Sumatra
Java
Borneo
Archipiélago de Indonesia
Islas Célebes
Islas Molucas
Nueva Guinea
Mar del Coral
Ecuador
0 1.000 2.000 km
0 200 400 1.000 2.000 3.000 4.000 5.000 + 5.000 m

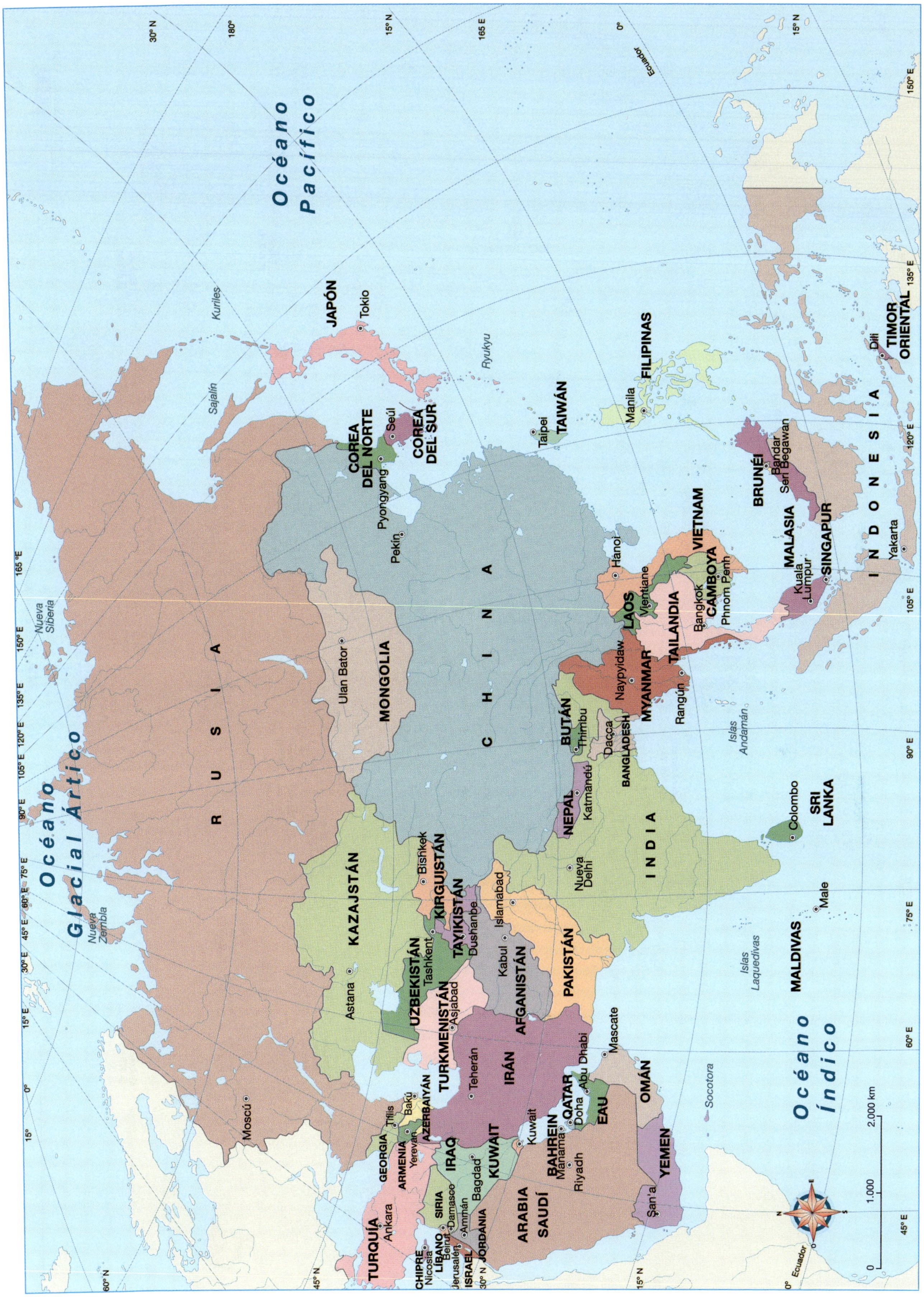
Océano Glacial Ártico
Océano Pacífico
Océano Índico
RUSIA
CHINA
INDIA
INDONESIA
KAZAJSTÁN
MONGOLIA
JAPÓN
COREA DEL NORTE
COREA DEL SUR
TAIWÁN
FILIPINAS
VIETNAM
LAOS
CAMBOYA
TAILANDIA
MYANMAR
MALASIA
SINGAPUR
BRUNÉI
TIMOR ORIENTAL
BANGLADESH
BUTÁN
NEPAL
SRI LANKA
MALDIVAS
PAKISTÁN
AFGANISTÁN
TAYIKISTÁN
KIRGUISTÁN
UZBEKISTÁN
TURKMENISTÁN
IRÁN
IRAQ
KUWAIT
BAHREIN
QATAR
EAU
OMÁN
YEMEN
ARABIA SAUDÍ
JORDANIA
ISRAEL
LÍBANO
SIRIA
CHIPRE
TURQUÍA
GEORGIA
ARMENIA
AZERBAIYÁN
Moscú
Astana
Tashkent
Bishkek
Dushanbe
Asjabad
Kabul
Islamabad
Nueva Delhi
Katmandú
Thimbu
Dacca
Naypyidaw
Rangún
Bangkok
Phnom Penh
Vientiane
Hanoi
Kuala Lumpur
Yakarta
Bandar Seri Begawan
Manila
Taipei
Pekín
Pyongyang
Seúl
Tokio
Ulan Bator
Dili
Colombo
Male
Teherán
Bagdad
Kuwait
Manama
Doha
Abu Dhabi
Mascate
Riyadh
Sana
Ammán
Damasco
Beirut
Jerusalén
Nicosia
Ankara
Tbilisi
Yereván
Bakú
Nueva Zembla
Nueva Siberia
Sajalín
Kuriles
Ryukyu
Islas Andamán
Islas Laquedivas
Socotora
Ecuador
0 1.000 2.000 km

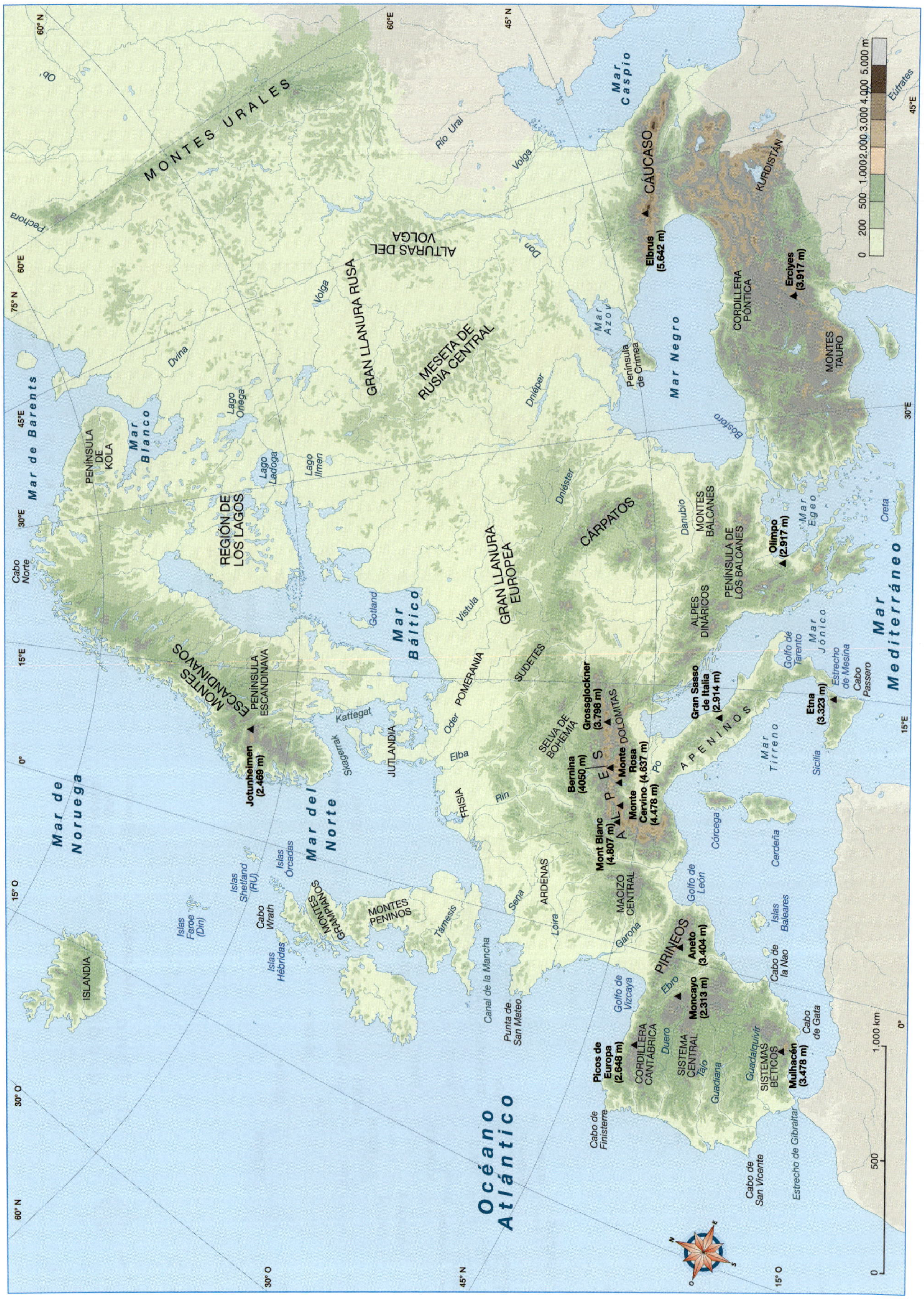

Océano Atlántico
Mar de Noruega
Mar del Norte
Mar de Barents
Mar Blanco
Mar Báltico
Mar Mediterráneo
Mar Tirreno
Mar Jónico
Mar Egeo
Mar Negro
Mar Azov
Mar Caspio
ISLANDIA
Islas Feroe (Din)
Islas Shetland (RU)
Islas Órcadas
Islas Hébridas
Cabo Wrath
MONTES GRAMPIANOS
MONTES PENINOS
Támesis
Canal de la Mancha
Punta de San Mateo
Cabo Norte
PENÍNSULA DE KOLA
MONTES ESCANDINAVOS
PENÍNSULA ESCANDINAVA
Jotunheimen (2.469 m)
Skagerrak
Kattegat
JUTLANDIA
Gotland
REGIÓN DE LOS LAGOS
Lago Ladoga
Lago Onega
Lago Ilmen
Dvina
Pechora
Ob
MONTES URALES
Río Ural
Volga
ALTURAS DEL VOLGA
GRAN LLANURA RUSA
MESETA DE RUSIA CENTRAL
Don
Dniéper
Dniéster
Península de Crimea
CÁUCASO
Elbrus (5.642 m)
KURDISTÁN
Éufrates
CORDILLERA PÓNTICA
Erciyes (3.917 m)
MONTES TAURO
Bósforo
Creta
GRAN LLANURA EUROPEA
Vístula
Oder
POMERANIA
Elba
FRISIA
Rin
SUDETES
SELVA DE BOHEMIA
CÁRPATOS
Danubio
MONTES BALCANES
PENÍNSULA DE LOS BALCANES
ALPES DINÁRICOS
Olimpo (2.917 m)
ALPES
Grossglockner (3.798 m)
DOLOMITAS
Bernina (4050 m)
Monte Rosa (4.637 m)
Monte Cervino (4.478 m)
Mont Blanc (4.807 m)
Po
APENINOS
Gran Sasso de Italia (2.914 m)
Golfo de Tarento
Estrecho de Mesina
Cabo Passero
Etna (3.323 m)
Sicilia
Córcega
Cerdeña
Islas Baleares
Golfo de León
ARDENAS
Sena
Loira
Garona
MACIZO CENTRAL
PIRINEOS
Aneto (3.404 m)
Golfo de Vizcaya
Ebro
Moncayo (2.313 m)
Cabo de la Nao
Picos de Europa (2.648 m)
CORDILLERA CANTÁBRICA
Duero
SISTEMA CENTRAL
Tajo
Guadiana
Guadalquivir
SISTEMAS BÉTICOS
Mulhacén (3.478 m)
Cabo de Gata
Cabo de Finisterre
Cabo de San Vicente
Estrecho de Gibraltar
0 200 500 1.000 2.000 3.000 4.000 5.000 m
0 500 1.000 km

Mar de Barents
Mar Blanco
Mar de Noruega
Mar del Norte
Mar Báltico
Mar Caspio
Mar Negro
Mar Mediterráneo
Océano Atlántico
RUSIA
Moscú
FINLANDIA
Helsinki
SUECIA
Estocolmo
NORUEGA
Oslo
ISLANDIA
Reikiavik
ESTONIA
Tallinn
LETONIA
Riga
LITUANIA
Vilnius
RUS.
BIELORRUSIA
Minsk
UCRANIA
Kiev
MOLDOVIA
Chisinau
RUMANÍA
Bucarest
BULGARIA
Sofía
POLONIA
Varsovia
DINAMARCA
Copenhague
ALEMANIA
Berlín
PAÍSES BAJOS
Amsterdam
BÉLGICA
LUXEMBURGO
Luxemburgo
REINO UNIDO
Londres
IRLANDA
Dublín
FRANCIA
París
ESPAÑA
Madrid
PORTUGAL
Lisboa
ANDORRA
MÓNACO
SUIZA
Berna
LIECH.
Vaduz
AUSTRIA
Viena
REP. CHECA
Praga
ESLOVAQUIA
Bratislava
HUNGRÍA
Budapest
ESLOVENIA
Ljubljana
CROACIA
Zagreb
BOSNIA Y HERZEGOVINA
Sarajevo
SERBIA
Belgrado
MONTENEGRO
Podgorica
KOSOVO
Pristina
MACEDONIA
Skopje
ALBANIA
Tirana
GRECIA
Atenas
ITALIA
Roma
SAN MARINO
C. DEL VATICANO
MALTA
La Valetta
TURQUÍA
Ankara
CHIPRE
Nicosia
GEORGIA
Tbilisi
ARMENIA
Ereván
AZERBAYÁN
AZERB.
Bakú
Islas Feroe (Din)
Islas Shetland (RU)
Islas Orcadas
Islas Hébridas
Gotland
Córcega
Cerdeña
Sicilia
Creta
Islas Baleares
0 500 1.000 km

Océano Pacífico
Océano Índico
MICRONESIA
MELANESIA
POLINESIA
Mar de la China Meridional
Mar de Timor
Mar de Arafura
Mar de Bismarck
Mar de Salomón
Mar de Coral
Mar de Tasmania
Gran Bahía Australiana
Islas Carolinas
Salomón
Nuevas Hébridas
Nueva Caledonia
Wallis (Fr)
Futuna (Fr)
Grupo Niuatoputapu
Grupo Vava'u
Grupo Nomuka
Grupo Tongatapu
Upolu
Manua
Tutuila
Rose
Islas Tokelau (NZ)
Nukunono
Fakaofo
Swains
Islas Phoenix
Enderbury
Manra
Is. Danger
Nassau
Suwarrow
Palmerston
Niue (NZ)
Arrecife Kingman (EEUU)
Palmyra (EEUU)
Teraina
Tabuaeran
Kiritimati
Jarvis (EEUU)
Malden
Starbuck
Penrhyn
Manihiki
Vostok
Carolina
Flint
Aitutaki
Mitiaro
Atiu
Mauke
Avarua
Mangaia
Motu
One
Maupiti
Rangiroa
Palliser
Fakarava
Bora-Bora
Raiatea
Tahití
Makemo
Sociedad Is
María
Rurutu
Tubuai
Raivavae
Lancaster
Tubua
Ecuador 0°
Sepik
Monte Wilhelm (4.509 m)
Giluwe (4.368 m)
Bangeta (4.121 m)
Victoria (4.035 m)
Fly
Golfo de Papúa
Estrecho de Torres
Cabo York
PENÍNSULA DE CABO YORK
Golfo de Carpentaria
Gran Barrera de Arrecifes
TIERRA DE ARNHEM
GRAN DESIERTO DE ARENA
Monte Bruce (1.235 m)
Lago Mackay
Lago Amadeus
Monte Zeil (1.531 m)
GRAN DESIERTO VICTORIA
GRAN CUENCA ARTESIANA
Lago Eyre
Lago Frome
Lago Torrens
Lago Gairdner
GRAN CORDILLERA DIVISORIA
Darling
Lachlan
Murrumbidgee
Murray
Macquaire
Kosciusko (2.229 m)
Cabo Howe
Cabo Sudeste
Tasmania
Cabo Naturalista
Cabo de Leeuwin
Cabo Norte
Lago Taupo
Ruapehu (2.797 m)
Isla del Norte
Isla del Sur
Cook (3.754 m)
Tasman (3.497 m)
Cabo Sudoeste
15° N
0°
15° S
30° S
45° S
120° E
135° E
150° E
165° E
180°
165° O
150° O
0 150 300 600 1200 1800 3000 4800 + 4800 m
0 1.000 2.000 km
N S E O

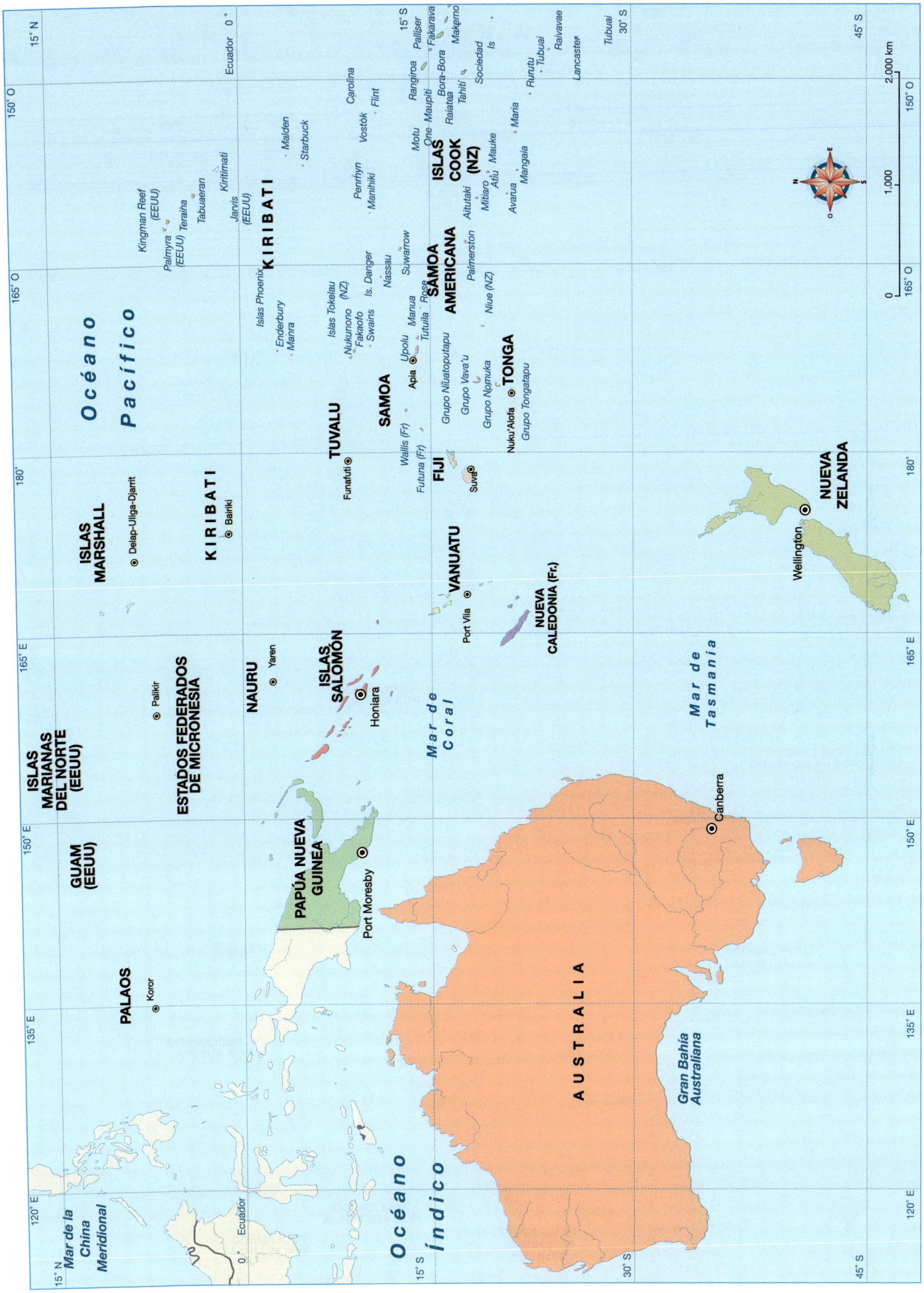
Océano Pacífico
Océano Índico
Mar de la China Meridional
Mar de Coral
Mar de Tasmania
Gran Bahía Australiana
AUSTRALIA
Canberra
NUEVA ZELANDA
Wellington
PAPÚA NUEVA GUINEA
Port Moresby
ISLAS SALOMÓN
Honiara
NAURU
Yaren
ESTADOS FEDERADOS DE MICRONESIA
Palikir
PALAOS
Koror
GUAM (EEUU)
ISLAS MARIANAS DEL NORTE (EEUU)
ISLAS MARSHALL
Delap-Uliga-Djarrit
KIRIBATI
Bairiki
TUVALU
Funafuti
VANUATU
Port Vila
NUEVA CALEDONIA (Fr.)
FIJI
Suva
Wallis (Fr)
Futuna (Fr)
SAMOA
Apia
Upolu
SAMOA AMERICANA
Tutuila
Manua
Rose
TONGA
Nuku'Alofa
Grupo Tongatapu
Grupo Nomuka
Grupo Vava'u
Grupo Niuatoputapu
Niue (NZ)
Islas Tokelau (NZ)
Nukunono
Fakaofo
Swains
Is. Danger
Nassau
Suwarrow
Palmerston
Islas Phoenix
Enderbury
Manra
Kingman Reef (EEUU)
Palmyra (EEUU)
Teraina
Tabuaeran
Kiritimati
Jarvis (EEUU)
Malden
Starbuck
Penrhyn
Manihiki
Vostok
Flint
Carolina
ISLAS COOK (NZ)
Aitutaki
Mitiaro
Atiu
Mauke
Avarua
Mangaia
Maria
Motu One
Maupiti
Bora-Bora
Raiatea
Tahití
Sociedad Is
Rangiroa
Palliser
Fakarava
Makemo
Rurutu
Tubuai
Raivavae
Lancaster
Ecuador
15° N
0°
15° S
30° S
45° S
120° E
135° E
150° E
165° E
180°
165° O
150° O
0
1.000
2.000 km
N
S
E
O

Océano Glaciar Ártico y Antártida

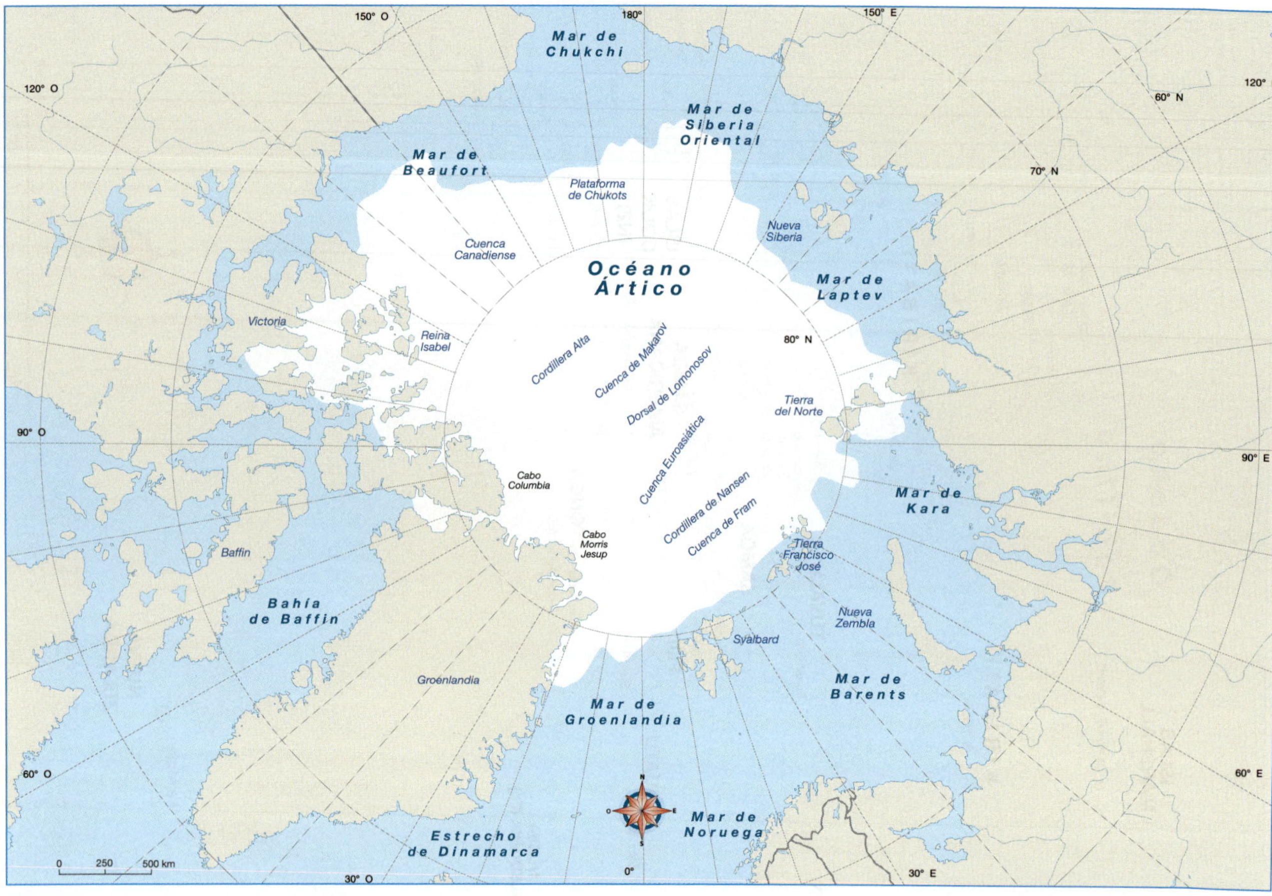

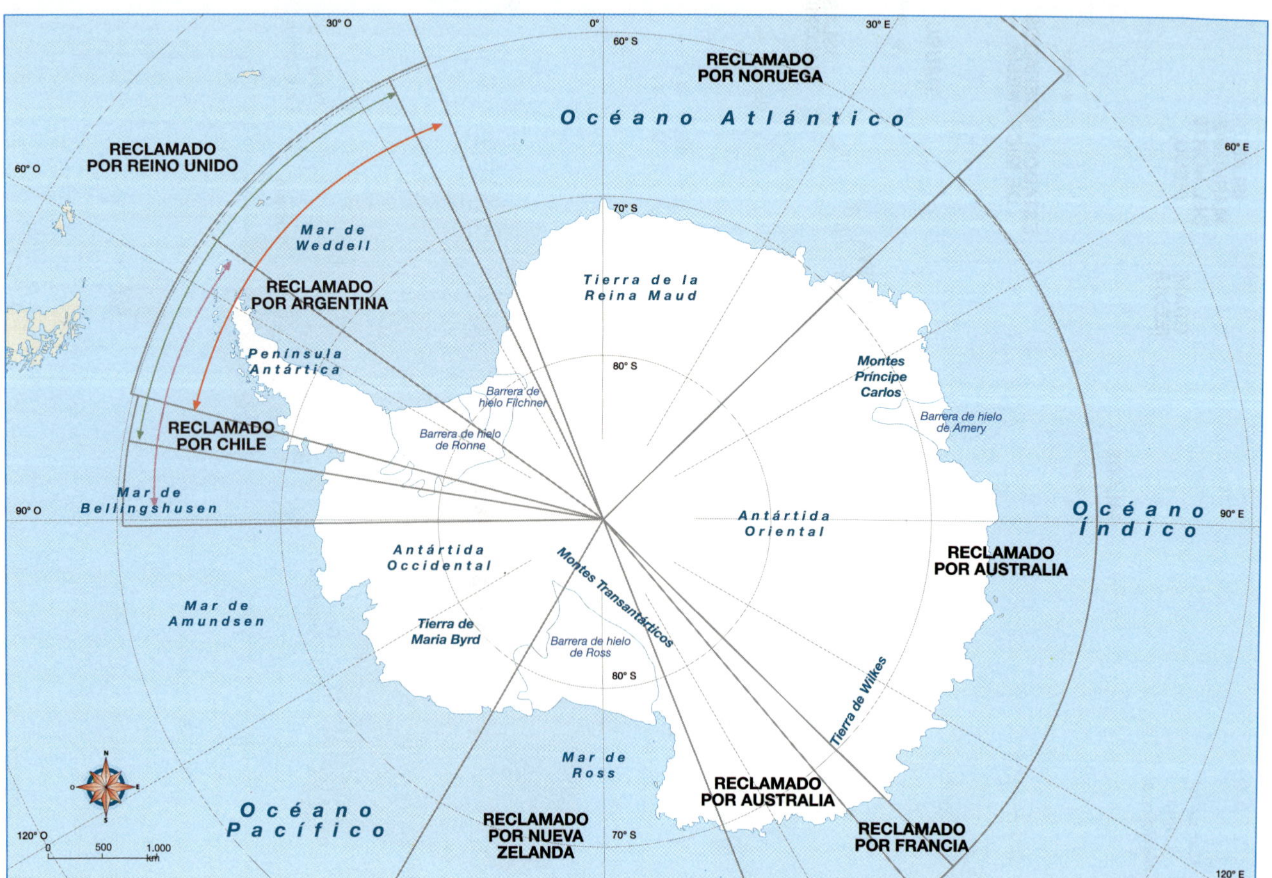

África

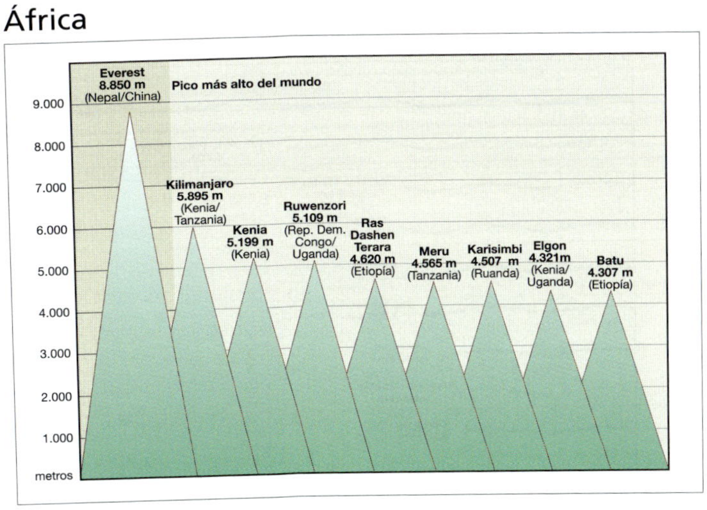

América del Sur

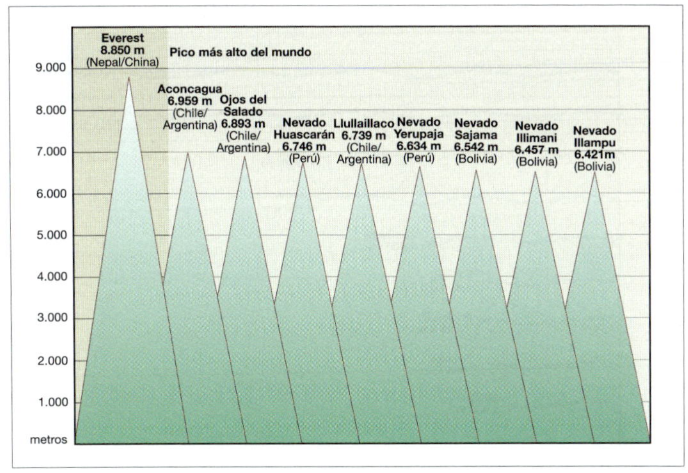

América del Norte

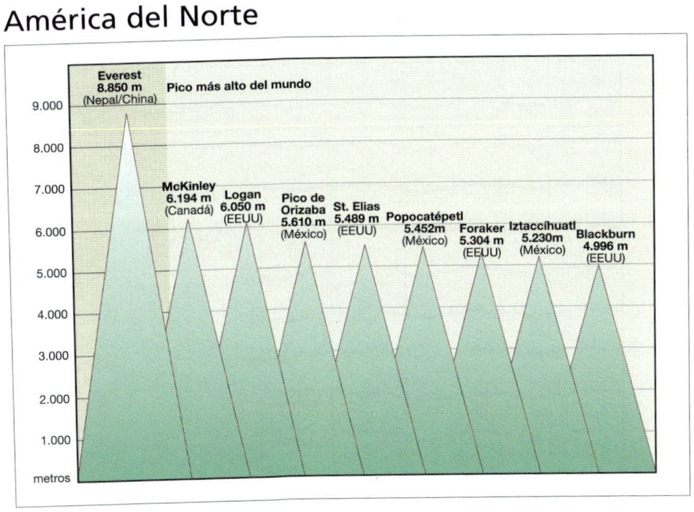

Asia

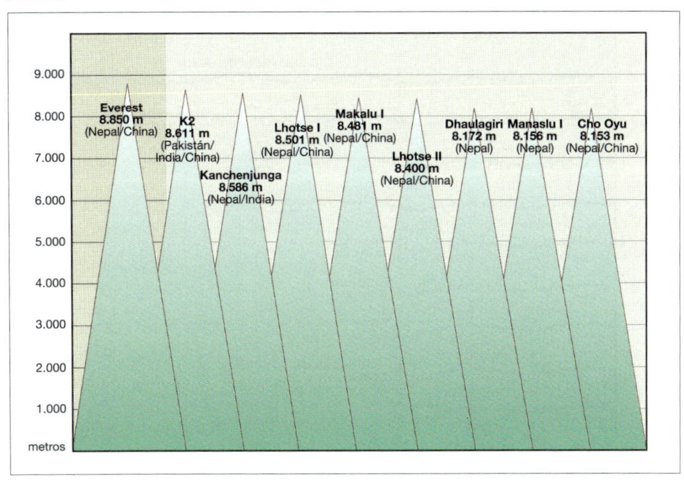

Europa

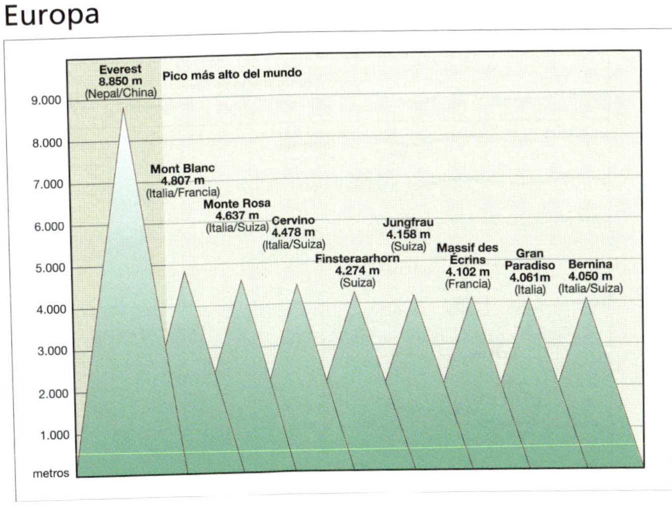

Oceanía

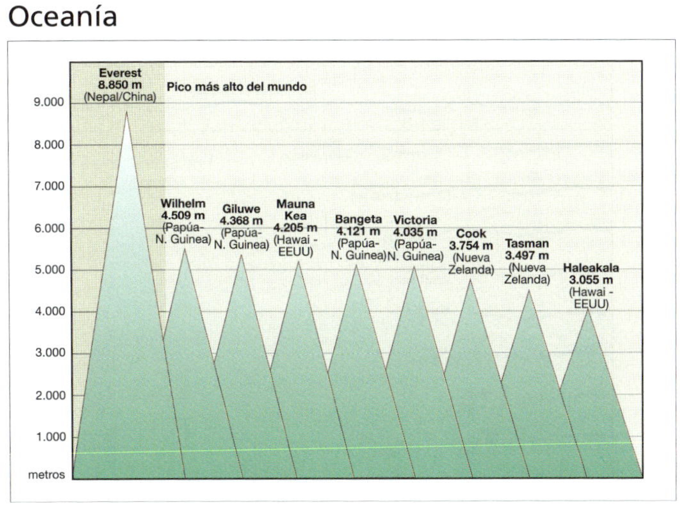

Principales ríos

África

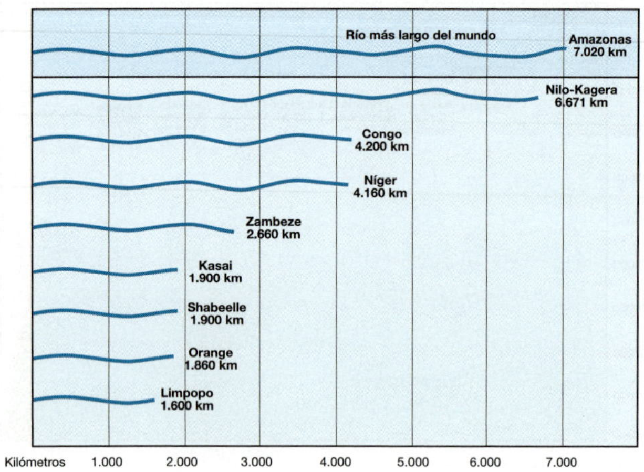

América del Sur

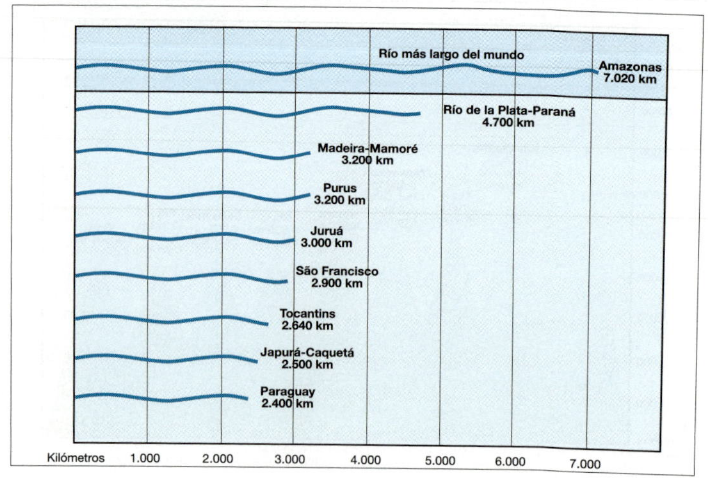

América del Norte

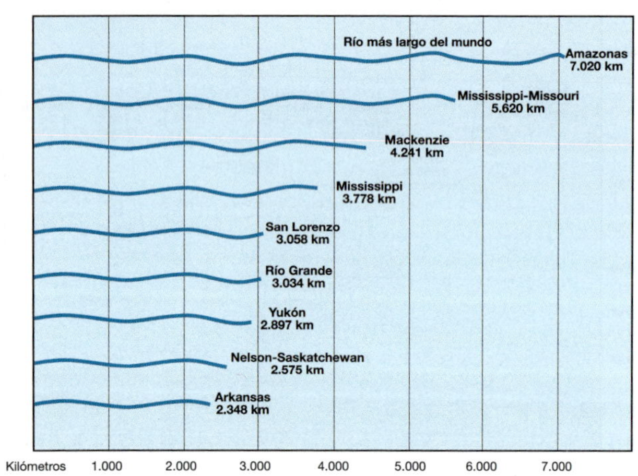

Asia

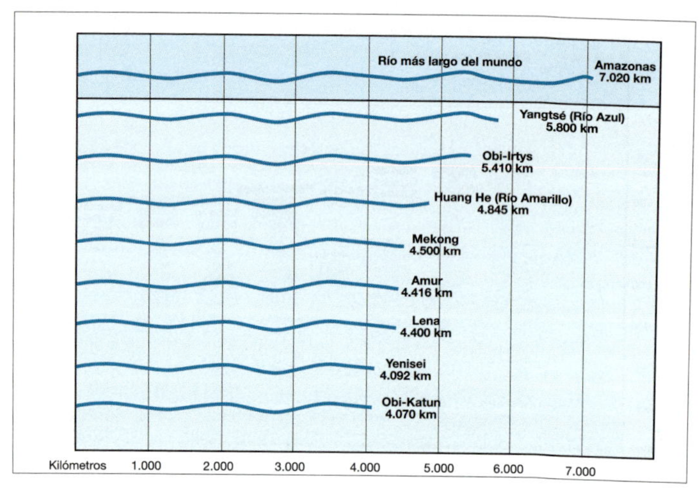

Europa

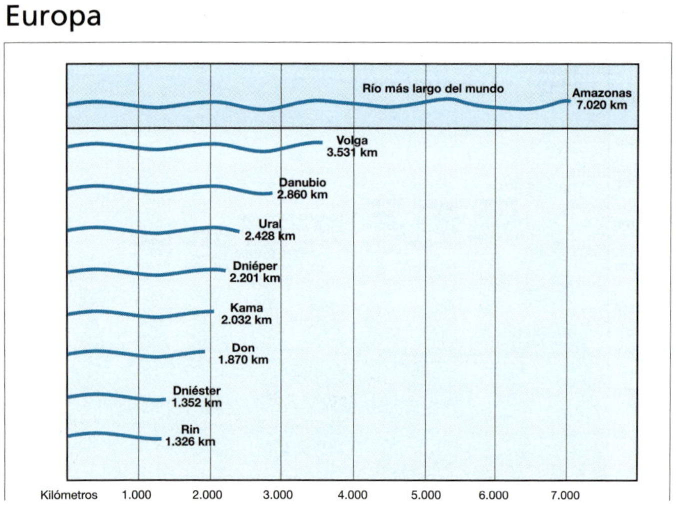

Oceanía

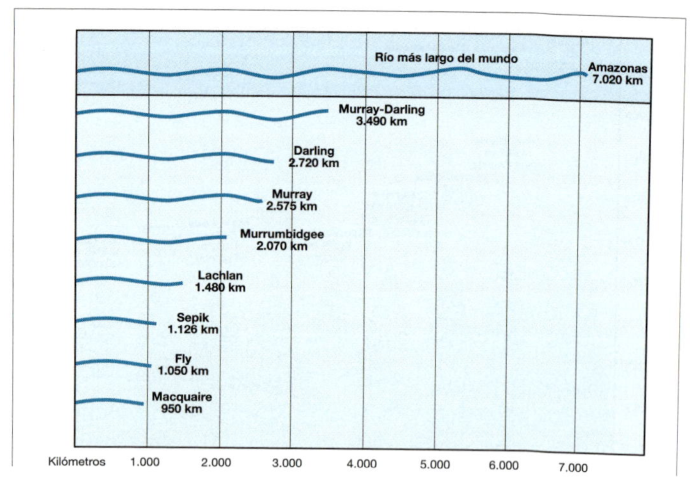

África

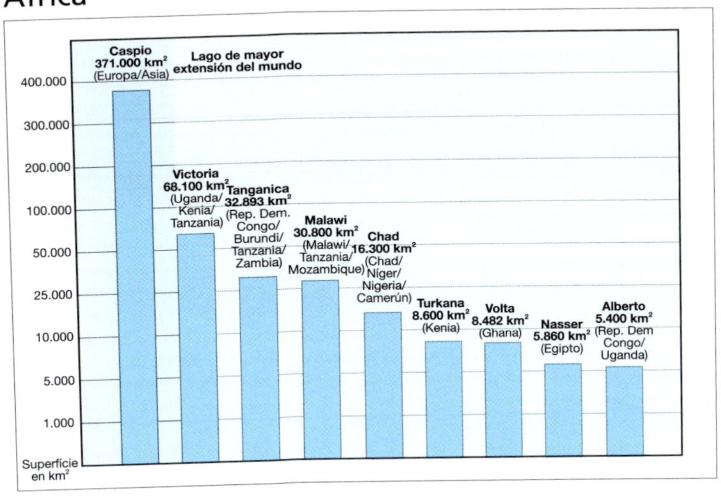

América del Sur

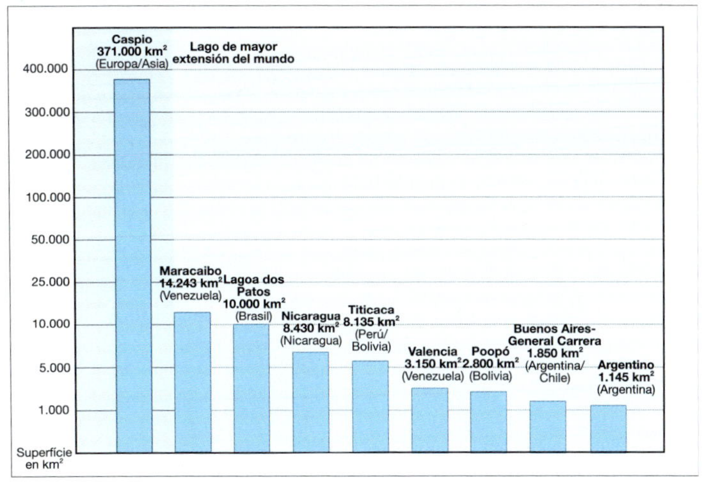

América del Norte

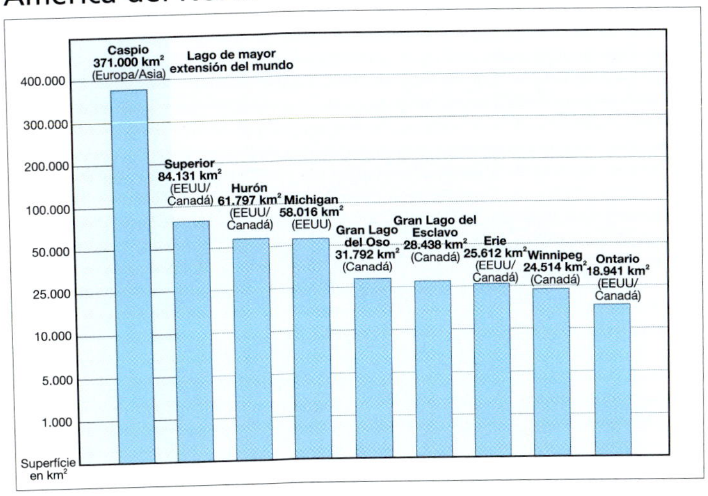

Asia

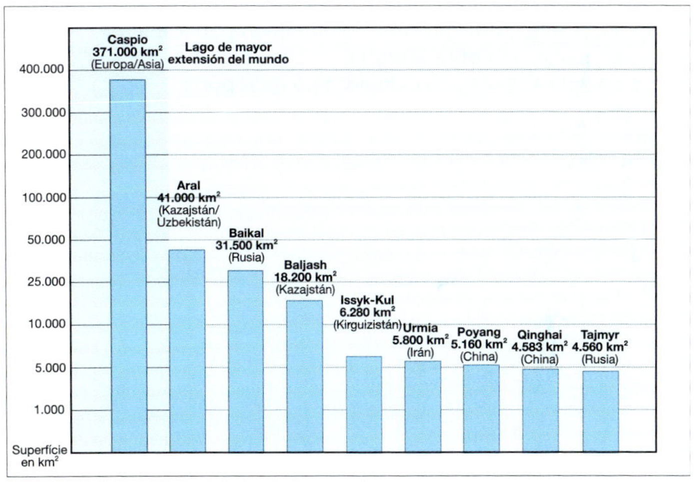

Europa

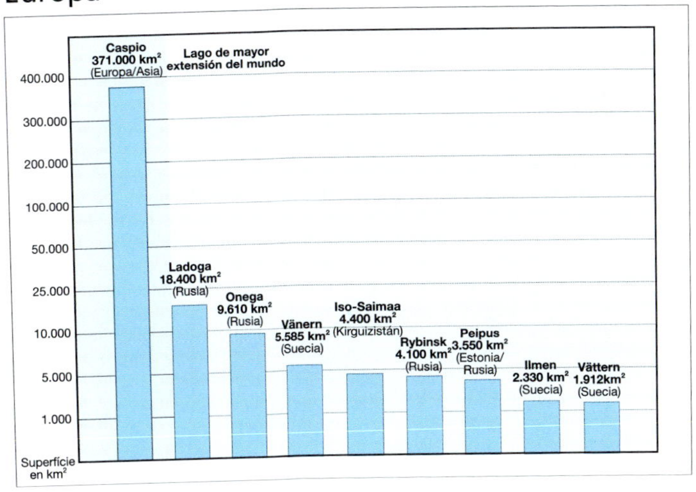

Oceanía

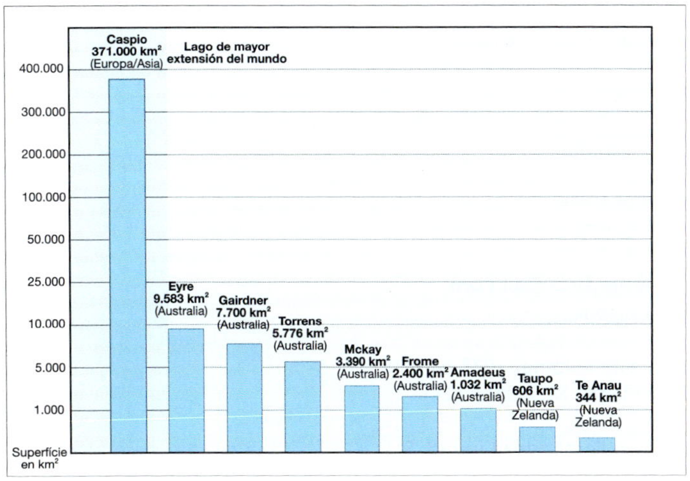

Diseño interior: RAG
Diseño cubierta: Sergio Ramírez
Ilustraciones: KUBICARTE
Cartografía: BCMaps

Sector Foresta, 1
28760 Tres Cantos
Madrid - España

Tel.: 918 061 996
Fax: 918 044 028

www.akaleducacion.com
www.akal.com

ISBN de este volumen: 978-84-460-3431-5
Depósito legal: M-30.890-2011

Impreso en Fernández Ciudad, S. L.
Pinto (Madrid)